いっしょに探検！日本の伝統文化と芸術

一

茶《さ》道《どう》・華《か》道《どう》・書《しょ》道《どう》を探《たん》検《けん》！

監修　文京学院大学外国語学部非常勤講師　稲田和浩

もくじ

第《だい》1章《しょう》 茶《さ》道《どう》

第《だい》2章《しょう》 華《か》道《どう》

第《だい》3章《しょう》 書道《しょどう》

おまけの探検《たんけん》

古《ふる》くから受《う》けつがれてきた
日本《にっぽん》の文化《ぶんか》や芸術《げいじゅつ》って、
どんなものがあるんだろう?
いっしょに探検《たんけん》してみよう!

第《だい》1章《しょう》

茶《さ》道《どう》

「茶道《さどう》」で大切《たいせつ》なのは、「お客《きゃく》さまにお茶《ちゃ》をおいしく飲《の》んでいただくこと」です。

お菓子《かし》も食《た》べるんだって。
はやく飲《の》みたいよー。

クイズ1 茶道《さどう》で飲《の》むお茶《ちゃ》はどれ?

6ページを見《み》よう。

①抹茶《まっちゃ》

協力：淡交社　撮影：二村海

②麦茶《むぎちゃ》

©PIXTA

③紅茶《こうちゃ》

©PIXTA

©PIXTA

クイズ2

茶道《さどう》で使《つか》う、この道具《どうぐ》の名前《なまえ》は？

12ページを見《み》よう。

©PIXTA

©PIXTA

クイズ3

お茶《ちゃ》をいただく席《せき》で出《で》るおかし。いつ食《た》べるの？

1. お茶《ちゃ》を飲《の》む前《まえ》
2. お茶《ちゃ》を飲《の》んだ後《あと》
3. 決《き》まっていない

7ページを見《み》よう。

協力：淡交社　撮影：宮野正喜

お点前《てまえ》を探検《たんけん》！

茶道《さどう》で、招《まね》く側《がわ》の亭主《ていしゅ》が道具《どうぐ》を出《だ》して清《きよ》め、お茶《ちゃ》を点《た》てて招《まね》いた客《きゃく》にふるまい、道具《どうぐ》をしまうまでの流《なが》れを「お点前《てまえ》」といいます。お点前《てまえ》の決《き》まりごとをのぞいてみましょう。

お茶《ちゃ》の点《た》て方《かた》の基本《きほん》

茶道《さどう》でいただくのは、抹茶《まっちゃ》です。お茶《ちゃ》(抹茶《まっちゃ》)をいれることを〝お茶《ちゃ》を点《た》てる〟といいます。流派《りゅうは》によって点《た》て方《かた》がちがいます。

①茶《ちゃ》しゃくで抹茶《まっちゃ》をすくい、茶碗《ちゃわん》に入《い》れる。

②ひしゃくでお湯《ゆ》を注《そそ》ぐ。

③茶《ちゃ》せんを持《も》ち、反対《はんたい》の手《て》で茶碗《ちゃわん》を支《ささ》える。茶《ちゃ》せんで円《えん》をえがくように混《ま》ぜる。

④手首《てくび》をすばやく前後《ぜんご》に動《うご》かして混《ま》ぜる。

⑤茶《ちゃ》せんで表面《ひょうめん》を整《ととの》え、静《しず》かに茶《ちゃ》せんを引《ひ》き上《あ》げる。

濃茶《こいちゃ》と薄茶《うすちゃ》がある

抹茶《まっちゃ》には、濃茶《こいちゃ》と薄茶《うすちゃ》の2種類《しゅるい》があります。濃茶《こいちゃ》はこい緑色《みどりいろ》で、薄茶《うすちゃ》は明《あか》るい青緑色《あおみどりいろ》です。また、濃茶《こいちゃ》は〝点《た》てる〟ではなく、〝練《ね》る〟といいます。濃茶《こいちゃ》は、何人《なんにん》かが同《おな》じ茶碗《ちゃわん》から回《まわ》し飲《の》みします。薄茶《うすちゃ》は、一人分《ひとりぶん》ずつ出《だ》されます。ほかにも、お湯《ゆ》の注《そそ》ぎ方《かた》、茶《ちゃ》せんの使《つか》い方《かた》、いただくお菓子《かし》の種類《しゅるい》などにもちがいがあります。

協力：淡交社　撮影：二村海

協力：淡交社　撮影：二村海

濃茶《こいちゃ》(右《みぎ》)と薄茶《うすちゃ》(左《ひだり》)。濃茶《こいちゃ》は色《いろ》がこく、どろりとしている。薄茶《うすちゃ》は色《いろ》がうすく、さらっとしている。

ミニ情報　抹茶《まっちゃ》は、チャノキの葉《は》（茶葉《ちゃば》）を蒸《む》してかんそうし、石《いし》うすでひいて粉《こな》にしたもの。緑茶《りょくちゃ》や紅茶《こうちゃ》、ウーロン茶《ちゃ》と同《おな》じ茶葉《ちゃば》からつくられる。

どんなお菓子《かし》を食《た》べるの？

茶会《ちゃかい》では、お茶《ちゃ》を飲《の》む前《まえ》に、季節《きせつ》に合《あ》ったお菓子《かし》を食《た》べます。お菓子《かし》には主菓子《おもがし》（生菓子《なまがし》や半生菓子《はんなまがし》）と干菓子《ひがし》（かんそうしたお菓子《かし》）があります。濃茶《こいちゃ》のときは主菓子《おもがし》、薄茶《うすちゃ》のときは干菓子《ひがし》が出《だ》されるのが基本《きほん》です。

主菓子《おもがし》は器《うつわ》からはしで懐紙《かいし》に取《と》り、菓子切《かしきり》を使《つか》って食《た》べる。

協力：淡交社　撮影：宮野正喜

干菓子《ひがし》は器《うつわ》から手《て》でとり、懐紙《かいし》に受《う》けて手《て》で食《た》べる。

協力：淡交社　撮影：宮野正喜

茶道《さどう》の流派《りゅうは》ってなに？

茶道《さどう》には、茶道《さどう》に対《たい》する考《かんが》え方《かた》やお点前《てまえ》のやり方《かた》などのちがいによる流派《りゅうは》がいくつもあります。主《おも》な流派《りゅうは》として、表千家《おもてせんけ》、裏千家《うらせんけ》、武者小路千家《むしゃのこうじせんけ》の３つ（三千家《さんせんけ》）があります。さらに細《こま》かく見《み》ると、数百《すうひゃく》もの流派《りゅうは》があると言《い》われています。

千利休《せんのりきゅう》
｜
千少庵《せんのしょうあん》
｜
千宗旦《せんのそうたん》
｜
仙叟宗室《せんそうそうしつ》　江岑宗左《こうしんそうさ》　一翁宗守《いちおうそうしゅ》
裏千家《うらせんけ》　表千家《おもてせんけ》　武者小路千家《むしゃのこうじせんけ》

扇子《せんす》の使《つか》い方《かた》

客《きゃく》があいさつをするときや道具《どうぐ》を拝見《はいけん》をするときなどに使《つか》います。扇子《せんす》は自分《じぶん》と相手《あいて》の境《さかい》を示《しめ》し、自分《じぶん》が相手《あいて》よりへりくだった位置《いち》にいることを表《あらわ》すとされます。茶道《さどう》では、扇子《せんす》を開《ひら》いたりあおいだりすることはありません。

特別《とくべつ》な大事《だいじ》な役目《やくめ》があるんだね。

持《も》つ方《ほう》を自分《じぶん》から見《み》て右《みぎ》にして置《お》く。
たたみのへりの手前側《てまえがわ》に横《よこ》にして置《お》く。

ふくさってなに？

ふくさは、道具《どうぐ》を清《きよ》めたり、茶碗《ちゃわん》をあつかったりする際《さい》に使《つか》う布《ぬの》です。男性《だんせい》はむらさき色《いろ》の、女性《じょせい》は赤《あか》や朱色《しゅいろ》などのふくさを用《もち》います。ふくさの折《お》り方《かた》やあつかい方《かた》は流派《りゅうは》によってちがいます。

いろいろな使《つか》い方《かた》ができるらしい。

ふくさを使《つか》って、道具《どうぐ》を清《きよ》めているところ。

写真：イメージナビ／アフロ

道具《どうぐ》を清《きよ》めるときは、小《ちい》さく折《お》りたたんで使《つか》う。

©PIXTA

ミニ情報　茶道《さどう》での正式《せいしき》なおもてなしを茶事《ちゃじ》という。茶事《ちゃじ》は濃茶《こいちゃ》をおいしく飲《の》んでもらうためのおもてなしで、その前《まえ》に軽《かる》い食事《しょくじ》（懐石《かいせき》）が出《だ》される。この食事《しょくじ》は、茶懐石《ちゃかいせき》ともいう。

茶会《ちゃかい》と茶道《さどう》の心《こころ》を探検《たんけん》！

お客様《きゃくさま》を招《まね》いてお茶《ちゃ》をふるまう茶会《ちゃかい》には、大体《だいたい》の決《き》まった流《なが》れがあります。

寄付待合《よりつきまちあい》
腰掛待合《こしかけまちあい》
茶室《ちゃしつ》に向《む》かう前《まえ》に待《ま》つ場所《ばしょ》。
茶室《ちゃしつ》
露地《ろじ》
つくばい
茶会《ちゃかい》は、茶室《ちゃしつ》という場所《ばしょ》で行《おこな》われます。
客《きゃく》は寄付待合《よりつきまちあい》で身《み》なりを整《ととの》えるなどの準備《じゅんび》をした後《あと》、腰掛《こしかけ》待合《まちあい》に向《む》かいます。
茶室《ちゃしつ》に行《い》くまでの庭《にわ》は、露地《ろじ》とよばれます。
客《きゃく》は、露地《ろじ》を通《とお》って茶室《ちゃしつ》に向《む》かいます。
つくばい（水《みず》の入《はい》ったはち）で手《て》と口《くち》を清《きよ》めます。
にじり口《ぐち》という小《ちい》さな出入《でい》り口《ぐち》から茶室《ちゃしつ》の中《なか》に入《はい》ります。
客《きゃく》は床《とこ》の間《ま》のかけじくなどを拝見《はいけん》してから、決《き》まった場所《ばしょ》に座《すわ》ります。
床《とこ》の間《ま》の近《ちか》くに正客《しょうきゃく》（代表《だいひょう》となる客《きゃく》）が座《すわ》ります。
亭主《ていしゅ》が茶道口《さどうぐち》から入《はい》ってきます。

ミニ情報

茶会《ちゃかい》では、招《まね》く側《がわ》を「亭主《ていしゅ》」、招《まね》かれる側《がわ》を「客《きゃく》」という。代表《だいひょう》となる客《きゃく》が「正客《しょうきゃく》」で、「次客《じきゃく》」、「三客《さんきゃく》」…「末客《まっきゃく》」と続《つづ》き、それぞれに役目《やくめ》がある。

※お茶《ちゃ》のいただき方《かた》などには細《こま》かい作法《さほう》がありますが、ここでは大《おお》まかな流《なが》れを示《しめ》しています。

ミニ情報

茶室《ちゃしつ》にとなり合《あ》い、茶会《ちゃかい》の準備《じゅんび》をする場所《ばしょ》を「水屋《みずや》」という。家《いえ》の台所《だいどころ》にあたる場所《ばしょ》で、茶碗《ちゃわん》などを洗《あら》うところ、道具《どうぐ》を置《お》くところなどがある。

茶室《ちゃしつ》を探検《たんけん》！

茶会《ちゃかい》が行《おこな》われる茶室《ちゃしつ》は、質素《しっそ》なつくりです。広《ひろ》さは四畳半《よじょうはん》（たたみ4枚半《まいはん》）が基本《きほん》で、この場合《ばあい》は、4、5人《にん》で利用《りよう》されます。窓《まど》や入《い》り口《ぐち》は小《ちい》さくつくられています。

茶室《ちゃしつ》までの庭《にわ》、露地《ろじ》

茶室《ちゃしつ》までの庭《にわ》は、露地《ろじ》とよばれます。千利休《せんのりきゅう》が「浮世《うきよ》の外《そと》の道《みち》」といったように、ふだんの空間《くうかん》から露地《ろじ》を通《とお》って、特別《とくべつ》な空間《くうかん》（茶室《ちゃしつ》）へ向《む》かいます。

京都《きょうと》にある裏千家《うらせんけ》。玄関《げんかん》への露地《ろじ》。

画像提供：裏千家今日庵

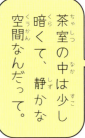

裏千家《うらせんけ》の茶室《ちゃしつ》、又隠《ゆういん》。茶室《ちゃしつ》までは飛《と》び石《いし》がしかれている。

画像提供：裏千家今日庵

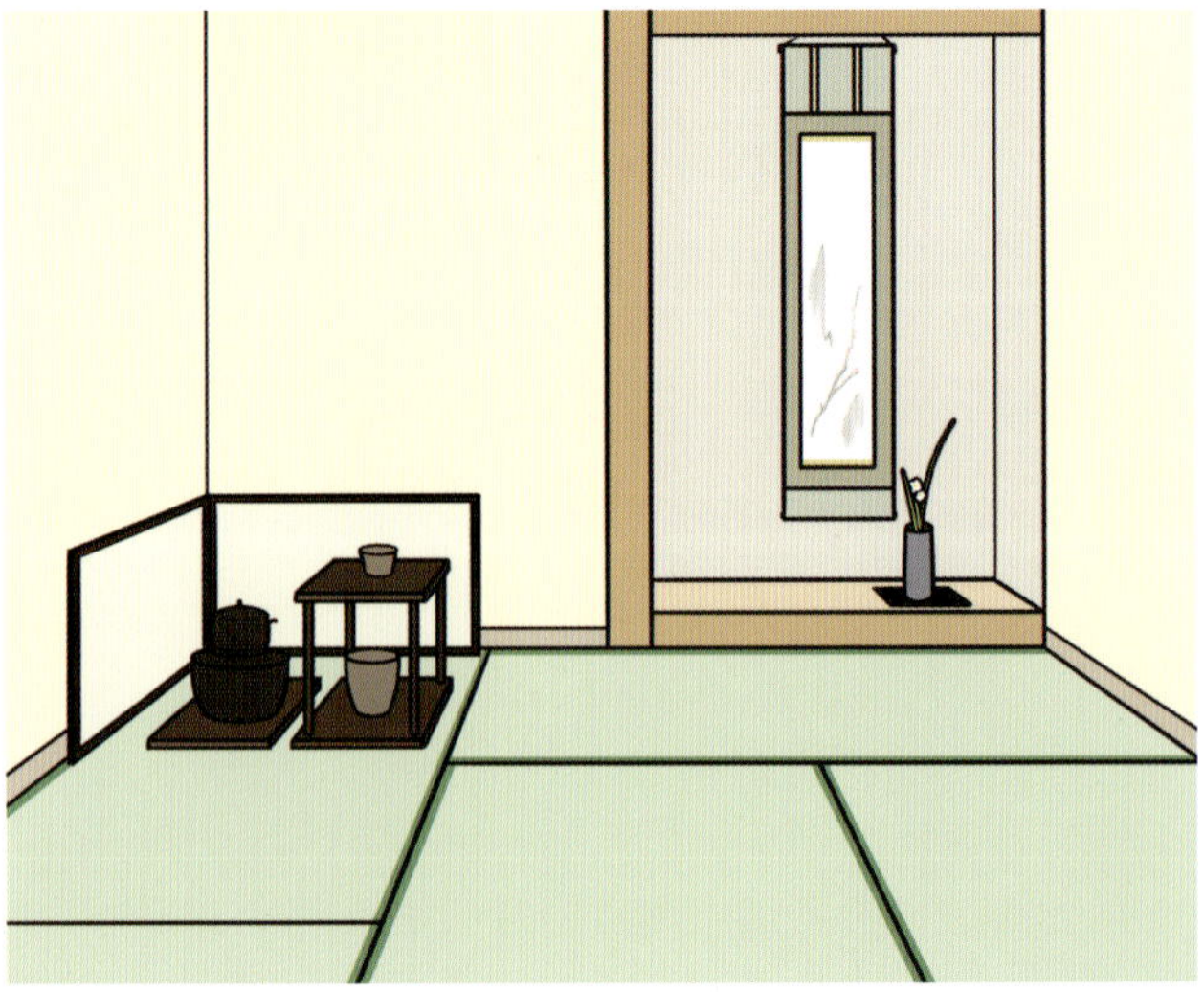

茶室《ちゃしつ》には床《とこ》の間《ま》があり、その日《ひ》の茶会《ちゃかい》のために亭主《ていしゅ》が季節《きせつ》か客《きゃく》に合《あ》わせてかけじくや花《はな》を用意《ようい》する。

にじり口《ぐち》は、高《たか》さ約《やく》67㎝、はば約《やく》64㎝。かがんで入《はい》った先《さき》には特別《とくべつ》な空間《くうかん》が広《ひろ》がっている。

出入《でい》りはにじり口《ぐち》から

茶室《ちゃしつ》には、「にじり口《ぐち》」という小《ちい》さな出入《でい》り口《ぐち》があります。身分《みぶん》の高《たか》い武士《ぶし》でも刀《かたな》をはずし、頭《あたま》を下《さ》げて入《はい》らなければなりません。千利休《せんのりきゅう》が、茶室《ちゃしつ》では身分《みぶん》の高低《こうてい》は関係《かんけい》ないことを表《あらわ》すために考《かんが》えたとされています。

ミニ情報 四畳半以上《よじょうはんいじょう》の広《ひろ》さの茶室《ちゃしつ》を「広間《ひろま》」といい、六畳《ろくじょう》、八畳《はちじょう》、十畳《じゅうじょう》などの広《ひろ》さがある。四畳半以下《よじょうはんいか》の広《ひろ》さの茶室《ちゃしつ》は、「小間《こま》（小座敷《こざしき》）」という。

屋外《おくがい》で行《おこな》われる野点《のだて》

屋外《おくがい》で行《おこな》われる茶会《ちゃかい》もあります。茶室《ちゃしつ》で行《おこな》われる茶会《ちゃかい》に比《くら》べて、作法《さほう》や道具《どうぐ》などが簡単《かんたん》になっているため、気軽《きがる》に参加《さんか》することができます。

野点《のだて》の様子《ようす》。野点《のだて》は主《おも》に春《はる》か秋《あき》に行《おこな》われる。

東京都・アーツカウンシル東京主催：「東京大茶会2017」

写真：アーツカウンシル東京

一度《いちど》に大勢《おおぜい》が参加《さんか》しているね。

いろいろな茶室《ちゃしつ》

自由《じゆう》な発想《はっそう》でつくられた茶室《ちゃしつ》もあります。

宙《ちゅう》づりの茶室《ちゃしつ》「空飛《そらと》ぶ泥舟《どろぶね》」

長野県茅野市《ながのけんちのし》にある茶室《ちゃしつ》です。両脇《りょうわき》の柱《はしら》からワイヤーでつってあり、地面《じめん》から約《やく》3.5mのところにうくようにつくられています。

この茶室《ちゃしつ》への出入《でい》りははしごを使《つか》います。人《ひと》が出入《でい》りするとゆれ、全員《ぜんいん》が座《すわ》ってゆれがおさまってから静《しず》かにお茶《ちゃ》を楽《たの》しみます。独創《どくそう》的《てき》な建築《けんちく》で世界的《せかいてき》に知《し》られる建築《けんちく》家《か》、藤森照信《ふじもりてるのぶ》さんが設計《せっけい》した茶室《ちゃしつ》の一《ひと》つです。

組《く》み立《た》て式《しき》の茶室《ちゃしつ》「無常庵《むじょうあん》-MUJYOAN」

組《く》み立《た》て式《しき》で、さまざまな場所《ばしょ》に設置《せっち》できる茶室《ちゃしつ》です。東京都港《とうきょうとみなと》区《く》の八芳園《はっぽうえん》が、日本《にっぽん》の伝統文化《でんとうぶんか》である茶道《さどう》を、より多《おお》くの人《ひと》に体験《たいけん》してもらうためにつくりました。八芳園《はっぽうえん》では日本庭園《にほんていえん》や宴席会場《えんせきかいじょう》などに設置《せっち》されます。また、国内各《こくないかく》地《ち》のイベントをはじめ、欧米《おうべい》でのイベントで利用《りよう》されたこともあります。

家具生産高日本一《かぐせいさんだかにっぽんいち》の家具《かぐ》の街《まち》・福岡県大川市《ふくおかけんおおかわし》の職人《しょくにん》たちと共《きょう》同《どう》でつくられた。

写真：八芳園

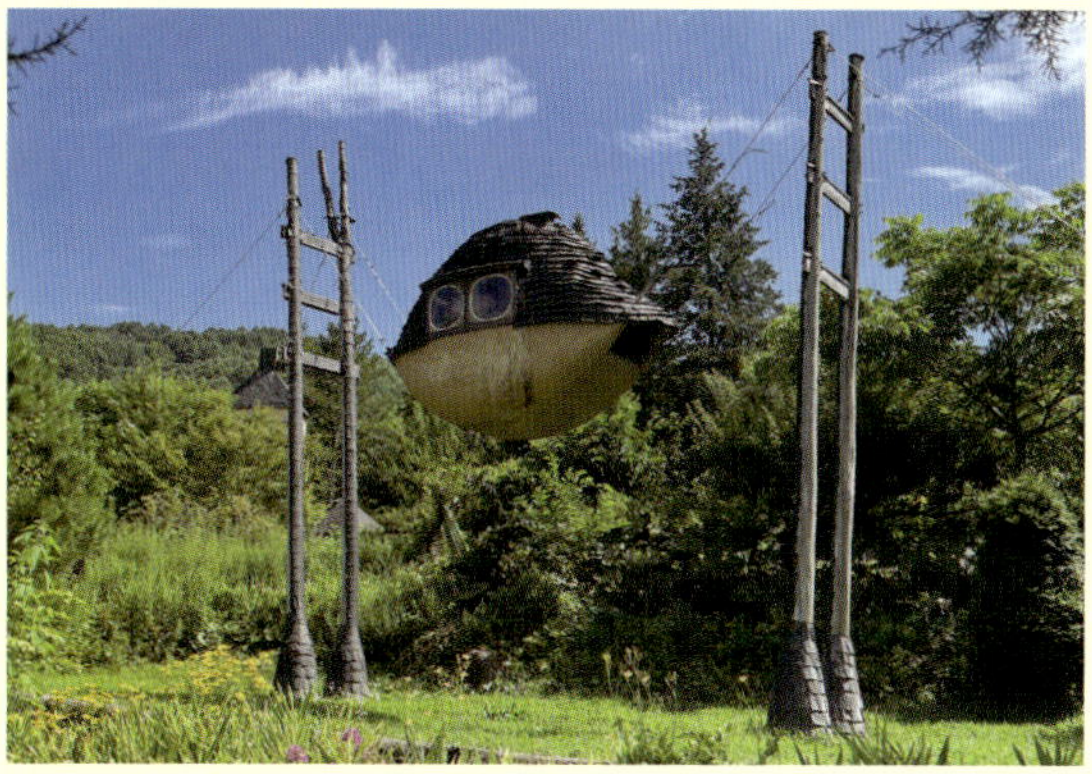

長《なが》さ2.7m、はば1.8m、高《たか》さ2m、重《おも》さ600kgの木造《もくぞう》。屋《や》根《ね》は銅板《どうばん》ぶき、下部《かぶ》は土《つち》がぬられている。

写真：ちの観光まちづくり推進機構

ミニ情報 建築家《けんちくか》の藤森照信《ふじもりてるのぶ》さんは、くりの木《き》の上《うえ》につくられ6mの高《たか》さにある高過庵《たかすぎあん》（長野県茅野市《ながのけんちのし》）、下《した》半分《はんぶん》が地下《ちか》にある、竪穴式《たてあなしき》の低過庵《ひくすぎあん》（長野県茅野市《ながのけんちのし》）などのユニークな茶室《ちゃしつ》の設計《せっけい》も手《て》がけている。

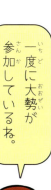

茶道《さどう》の道具《どうぐ》を探検《たんけん》！

茶道《さどう》で使《つか》われる、さまざまな道具《どうぐ》を見《み》てみましょう。

茶碗《ちゃわん》

お茶《ちゃ》を点《た》てて飲《の》むための器《うつわ》です。茶碗《ちゃわん》を鑑賞《かんしょう》するとき、大切《たいせつ》な要素《ようそ》は、「なり」、「ころ」、「ようす」という言葉《ことば》で表《あらわ》されます。

「なり」は形《かたち》、「ころ」はバランス、「ようす」は全体《ぜんたい》の雰囲気《ふんいき》やたたずまいを表《あらわ》します。

©PIXTA

茶碗《ちゃわん》の正面《しょうめん》

いちばん美《うつく》しく見《み》える向《む》きが茶碗《ちゃわん》の正面《しょうめん》です。亭主《ていしゅ》は、客《きゃく》に正面《しょうめん》を向《む》けてお茶《ちゃ》を出《だ》し、客《きゃく》は正面《しょうめん》をさけてお茶《ちゃ》をいただきます。

©PIXTA

茶碗《ちゃわん》の鑑賞《かんしょう》

全体《ぜんたい》をながめ、両手《りょうて》にとって手《て》ざわりを感《かん》じたり、さらに裏《うら》の高台《こうだい》を見《み》たりします。

©PIXTA

茶碗《ちゃわん》の外側《そとがわ》の底《そこ》にある円《えん》形《けい》の部分《ぶぶん》が高台《こうだい》で、これも鑑賞《かんしょう》の対象《たいしょう》になる。

茶《ちゃ》せん

お茶《ちゃ》を点《た》てるための竹製《たけせい》の道具《どうぐ》です。竹《たけ》を細《ほそ》く割《わ》って、外側《そとがわ》と内側《うちがわ》の2層《そう》にしています。

©PIXTA

茶《ちゃ》しゃく

抹茶《まっちゃ》をすくって取《と》り出《だ》すための道具《どうぐ》です。竹《たけ》の節《ふし》や色合《いろあ》いを生《い》かしてつくられています。

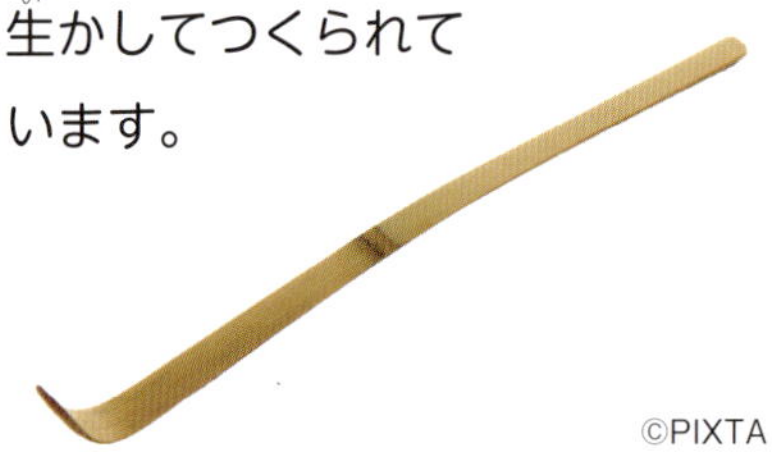

©PIXTA

なつめ

抹茶《まっちゃ》を入《い》れるための器《うつわ》です。薄茶《うすちゃ》（↓6ページ）用《よう》の抹茶《まっちゃ》を入《い》れるときに使《つか》います。その形《かたち》が植物《しょくぶつ》のナツメの実《み》に似《に》ていることからこのようによばれます。

©PIXTA

ナツメの実《み》

©PIXTA

ミニ情報

茶道《さどう》で使《つか》われる茶碗《ちゃわん》は、産地《さんち》によって唐物《からもの》、高麗物《こうらいもの》、和物《わもの》に分《わ》けられる。一般的《いっぱんてき》に、濃茶《こいちゃ》を飲《の》むときは、大《おお》きめで厚《あつ》めの茶碗《ちゃわん》を、薄茶《うすちゃ》を飲《の》むときは、小《ちい》さめの茶碗《ちゃわん》を使《つか》う。

ふた置《お》き

釜《かま》のふたやひしゃくを置《お》くための道具《どうぐ》です。竹《たけ》や焼《や》き物《もの》などでつくられます。

©PIXTA

風炉《ふろ》・釜《かま》

お茶《ちゃ》を点《た》てるためのお湯《ゆ》をわかす道具《どうぐ》です。5月《がつ》から10月《がつ》に風《ふ》炉《ろ》を使《つか》います。

©PIXTA

ふくさ

茶《ちゃ》しゃくやなつめを清《きよ》めるための布《ぬの》です(→7ページ)。

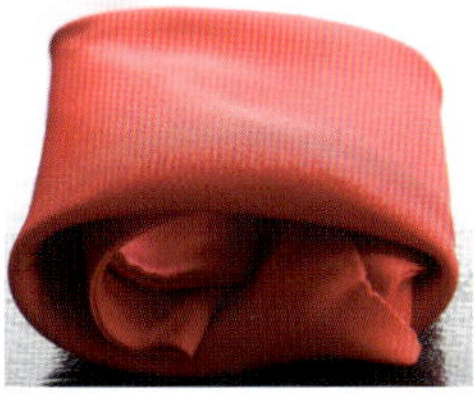
©PIXTA

ひしゃく

釜《かま》からお湯《ゆ》をくみ、茶碗《ちゃわん》に入《い》れるために使《つか》う道具《どうぐ》です。竹製《たけせい》で、長《なが》い持《も》ち手《て》がついています。

©PIXTA

炉《ろ》

たたみの一画《いっかく》を切《き》って囲炉裏《いろり》にした設備《せつび》です。11月《がつ》から4月《がつ》は炉《ろ》でお湯《ゆ》をわかします。

釜《かま》を置《お》いた炉《ろ》
©PIXTA

水指《みずさし》

釜《かま》のお湯《ゆ》の温度《おんど》を調《ちょう》整《せい》したり、釜《かま》に足《た》したりする水《みず》を入《い》れておくための道《どう》具《ぐ》です。

建水《けんすい》

©PIXTA

茶碗《ちゃわん》をあたためたり清《きよ》めたりするために使《つか》ったお湯《ゆ》や水《みず》をあける容器《ようき》です。「こぼし」ともいいます。

客《きゃく》が用意《ようい》する主《おも》なもの

懐紙《かいし》

©PIXTA

©PIXTA

着物《きもの》の場合《ばあい》は、ふところに入《い》れておいて、取《と》り皿《ざら》のようにお菓子《かし》をのせたり、茶碗《ちゃわん》の飲《の》み口《くち》をぬぐった指《ゆび》をふいたりします。

扇子《せんす》

茶道《さどう》で使《つか》う扇子《せんす》は、長《なが》さ15cmほどで小《ちい》さめです。閉《と》じたまま使《つか》います(→7ページ)。

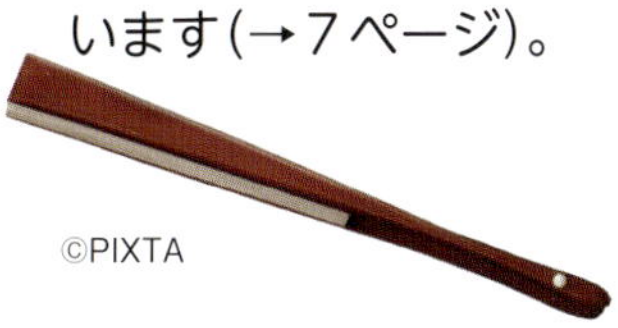
©PIXTA

菓子切《かしきり》

懐紙《かいし》にのせた主菓子《おもがし》を切《き》る道具《どうぐ》です。懐紙《かいし》にはさんで持《も》っておきます。

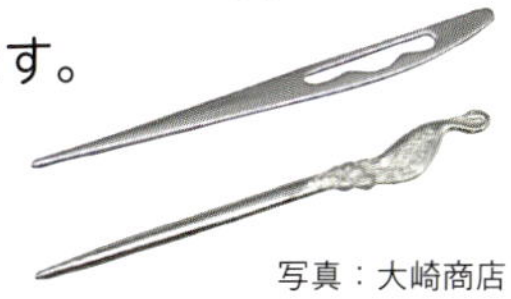
写真：大崎商店

国宝《こくほう》になった茶碗《ちゃわん》、曜変天目茶碗《ようへんてんもくぢゃわん》

茶碗《ちゃわん》は、窯《かま》の中《なか》で高温《こうおん》で焼《や》いてつくります。窯《かま》の中《なか》で偶然《ぐうぜん》美《うつく》しい柄《がら》ができたものを「曜変《ようへん》」とよび、とくに「曜変天目茶碗《ようへんてんもくぢゃわん》」は、茶碗《ちゃわん》の中《なか》で最《もっと》も価値《かち》の高《たか》いものとされました。現在日本《げんざいにっぽん》に伝《つた》わる曜変天《ようへんてん》目茶碗《もくぢゃわん》のうち、3点《てん》が国宝《こくほう》に指定《してい》されています。

所蔵：静嘉堂文庫美術館
画像提供：（公財）静嘉堂／DNPartcom

静嘉堂文庫美術館《せいかどうぶんこびじゅつかん》にある曜変天目茶《ようへんてんもくぢゃ》碗《わん》。この茶碗《ちゃわん》が焼《や》かれたころは、白茶《しろちゃ》が主流《しゅりゅう》で、黒《くろ》い釉薬《ゆうやく》の茶碗《ちゃわん》が好《この》まれた。

ミニ情報
湯《ゆ》をわかすための釜《かま》は、ほとんどが鉄製《てっせい》。炉《ろ》で使《つか》う場合《ばあい》と風炉《ふろ》で使《つか》う場合《ばあい》とでは大《おお》きさがちがう。釜《かま》は、茶会《ちゃかい》では中心《ちゅうしん》となる道《どう》具《ぐ》で、茶会《ちゃかい》を開《ひら》くことを「釜《かま》をかける」というほど。

茶道《さどう》の歴史《れきし》を探検《たんけん》！

お茶《ちゃ》は、1000年《ねん》以上前《いじょうまえ》に中国《ちゅうごく》から日本《にっぽん》に伝《つた》わったとされています。16世紀半《せいきなか》ばの戦国時代《せんごくじだい》に、お茶《ちゃ》をたしなむ作法《さほう》としての茶道《さどう》が誕生《たんじょう》しました。

日本《にっぽん》に茶《ちゃ》が伝《つた》わる

奈良時代《ならじだい》に、唐《とう》（中国《ちゅうごく》）から、茶《ちゃ》が伝《つた》わりました。このころの茶《ちゃ》は、団茶《だんちゃ》とよばれる団子《だんご》のように固《かた》めたものでした。

鎌倉時代《かまくらじだい》に、禅僧《ぜんそう》の栄西《えいさい》が、宋《そう》（中国《ちゅうごく》）から粉末状《ふんまつじょう》の茶《ちゃ》を持《も》ち帰《かえ》り、日本《にっぽん》でも茶《ちゃ》の栽培《さいばい》が行《おこな》われるようになりました。

禅僧《ぜんそう》の栄西《えいさい》

村田珠光《むらたじゅこう》が「わび茶《ちゃ》」を始《はじ》める

室町時代《むろまちじだい》に、茶《ちゃ》をたしなむ〝茶《ちゃ》の湯《ゆ》〟が、ぜいたくな遊《あそ》びとして、身分《みぶん》の高《たか》い人々《ひとびと》や裕福《ゆうふく》な商人《しょうにん》などの間《あいだ》で広《ひろ》まりました。そんななか、室町幕府八代将軍足利義政《むろまちばくふはちだいしょうぐんあしかがよしまさ》の茶《ちゃ》の師匠《ししょう》だった村田珠光《むらたじゅこう》は、簡素《かんそ》な茶《ちゃ》の湯《ゆ》の形式《けいしき》「わび茶《ちゃ》」のもとをつくりました。

室町時代後期《むろまちじだいこうき》の豪商《ごうしょう》、武野紹鷗《たけのじょうおう》は、村田珠光《むらたじゅこう》の「わび茶《ちゃ》」の精神《せいしん》を受《う》けつぎ、さらに洗練《せんれん》させました。

村田珠光《むらたじゅこう》

※珠光《しゅこう》とも呼《よ》ばれる。

千利休《せんのりきゅう》がわび茶《ちゃ》を大成《たいせい》する

武野紹鷗《たけのじょうおう》の弟子《でし》で、堺《さかい》（現在《げんざい》の大阪府堺市《おおさかふさかいし》）の商人《しょうにん》だった千利休《せんのりきゅう》は、16世紀半《せいきなか》ばにわび茶《ちゃ》を大成《たいせい》させ、茶道《さどう》を誕生《たんじょう》させました。利休《りきゅう》は、天下《てんか》を統一《とういつ》した武将《ぶしょう》、豊臣秀吉《とよとみひでよし》の茶《ちゃ》の師匠《ししょう》を務《つと》めましたが、やがて秀吉《ひでよし》と対立《たいりつ》し、切腹《せっぷく》させられます。

千利休《せんのりきゅう》

武将《ぶしょう》たちの間《あいだ》に広《ひろ》まった茶《ちゃ》の湯《ゆ》

戦国時代《せんごくじだい》から安土桃山時代《あづちももやまじだい》にかけて、織田信長《おだのぶなが》、豊臣秀吉《とよとみひでよし》などの有力《ゆうりょく》武将《ぶしょう》が茶《ちゃ》の湯《ゆ》を好《この》みました。めずらしい茶道具《ちゃどうぐ》は、いくさの功績《こうせき》のほうびとしてあたえられるほどでした。

織田信長《おだのぶなが》、豊臣秀吉《とよとみひでよし》、徳川家康《とくがわいえやす》と受《う》けつがれた唐物茄子茶入《からものなすちゃいれ》「付藻茄子《つくもなす》（右《みぎ》）・松本茄子《まつもとなす》（左《ひだり》）」。

所蔵：静嘉堂文庫美術館
画像提供：（公財）静嘉堂／DNPartcom

ミニ情報　栄西《えいさい》が著《あらわ》した茶《ちゃ》の専門書《せんもんしょ》、『喫茶養生記《きっさようじょうき》』には、「茶《ちゃ》は養生《ようじょう》の仙薬《せんやく》なり。延齢《えんれい》の妙術《みょうじゅつ》なり（茶《ちゃ》は生命力《せいめいりょく》を養《やしな》う薬《くすり》で、茶《ちゃ》を飲《の》むことで寿命《じゅみょう》をのばすことができる）」と書《か》いてある。

武家茶道《ぶけさどう》が広《ひろ》まる

江戸時代前期《えどじだいぜんき》に、千利休《せんのりきゅう》の弟子《でし》だった武士《ぶし》の古田織部《ふるたおりべ》や、その弟子《でし》の小堀遠州《こぼりえんしゅう》らが、わび茶《ちゃ》を発展《はってん》させ、武士《ぶし》の礼法《れいほう》をとり入《い》れた武家茶道《ぶけさどう》(大名茶《だいみょうちゃ》)を確立《かくりつ》しました。全国各地《ぜんこくかくち》の大名《だいみょう》や身分《みぶん》の高《たか》い武士《ぶし》たちが茶道《さどう》をたしなみ、江戸時代《えどじだい》を通《つう》じて受《う》けつがれていきました。

古田織部《ふるたおりべ》

古田織部《ふるたおりべ》が指導《しどう》して始《はじ》まった焼《や》き物《もの》、織部焼《おりべやき》。

©PIXTA

三千家《さんせんけ》の流派《りゅうは》が生《う》まれる

千利休《せんのりきゅう》の子孫《しそん》から表千家《おもてせんけ》、裏千家《うらせんけ》、武者小路千家《むしゃのこうじせんけ》の三千家《さんせんけ》の流派《りゅうは》が生《う》まれ、これらの流派《りゅうは》の茶道《さどう》が主《おも》に町人《ちょうにん》の間《あいだ》に広《ひろ》まりました。三千家《さんせんけ》は茶道《さどう》の家元《いえもと》(芸能《げいのう》などを代々《だいだい》受《う》けつぐ家系《かけい》)として、現在《げんざい》まで続《つづ》いています。

千宗旦《せんのそうたん》。千利休《せんのりきゅう》の孫《まご》にあたる。宗旦《そうたん》の３人《にん》の子《こ》どもが三千家《さんせんけ》をおこした。

さまざまな身分《みぶん》の人《ひと》に茶《ちゃ》の湯《ゆ》が広《ひろ》まる

長《なが》く平和《へいわ》が続《つづ》いた江戸時代《えどじだい》、茶《ちゃ》の湯《ゆ》は、武士《ぶし》、公家《くげ》、商人《しょうにん》などの間《あいだ》に広《ひろ》まりました。また、茶道《さどう》に使《つか》う道具《どうぐ》も整《ととの》えられていきました。

松江藩《まつえはん》(島根県《しまねけん》)の松平治郷《まつだいらはるさと》は、茶《ちゃ》を愛《あい》したことで知《し》られ、松江《まつえ》の城下町《じょうかまち》ではお菓子《かし》づくりが発達《はったつ》しました。

松江藩主《まつえはんしゅ》だった松平治郷《まつだいらはるさと》

女性《じょせい》にも広《ひろ》がり、海外《かいがい》へも紹介《しょうかい》される

明治時代《めいじじだい》になると、実業家《じつぎょうか》たちの間《あいだ》で茶道《さどう》が行《おこな》われるようになりました。東洋美術《とうようびじゅつ》を研究《けんきゅう》した岡倉天心《おかくらてんしん》らは、明治時代《めいじじだい》に茶道《さどう》の精神《せいしん》を海外《かいがい》に伝《つた》えました。

また、茶道《さどう》が女性《じょせい》の習《なら》い事《ごと》として、女学校《じょがっこう》などで教《おし》えられるようになりました。

『茶《ちゃ》の本《ほん》』を出版《しゅっぱん》し、茶道《さどう》を海外《かいがい》に紹介《しょうかい》した岡倉天心《おかくらてんしん》。

国立国会図書館「近代日本人の肖像」

山田宗徧《やまだそうへん》と『忠臣蔵《ちゅうしんぐら》』

江戸時代前期《えどじだいぜんき》の茶人《ちゃじん》、山田宗徧《やまだそうへん》は、江戸《えど》(現在《げんざい》の東京《とうきょう》)で宗徧流《そうへんりゅう》という流派《りゅうは》を開《ひら》いた人《ひと》です。赤穂浪士《あこうろうし》のあだうちをもとにした話《はなし》、「忠臣蔵《ちゅうしんぐら》」では、かたきの吉良上野介邸《きらこうずけのすけてい》での茶会《ちゃかい》の日《ひ》を教《おし》え、討《う》ち入《い》りの手助《てだす》けをしたとされています。

山田宗徧《やまだそうへん》

ミニ情報

岡倉天心《おかくらてんしん》は、東京大学《とうきょうだいがく》を卒業後《そつぎょうご》、文部省《もんぶしょう》に入《はい》り、美術行政《びじゅつぎょうせい》にたずさわった。アメリカの東洋美術史家《とうようびじゅつしか》、フェノロサとともに日本美術《にっぽんびじゅつ》の調査《ちょうさ》と研究《けんきゅう》を行《おこな》った。後《のち》に東京美術学校校長《とうきょうびじゅつがっこうこうちょう》などを務《つと》めた。

茶道《さどう》の所作《しょさ》にチャレンジしよう！

茶道《さどう》には、独特《どくとく》のふるまいやしぐさがあります。日常生活《にちじょうせいかつ》でも使《つか》ってみましょう。

正座《せいざ》で座《すわ》る

茶道《さどう》で、たたみに座《すわ》る場合《ばあい》は、「正座《せいざ》」をします。

正座《せいざ》の姿勢《しせい》

顔《かお》を少《すこ》し前《まえ》にかたむける。
背筋《せすじ》を真《ま》っ直《す》ぐにのばす。
両手《りょうて》をひざの上《うえ》に置《お》く。
こしをのばす。

おじぎは「真《しん》」、「行《ぎょう》」、「草《そう》」

ていねいさによって、3つの形《かたち》があります。

おじぎ

ていねいなおじぎ(真《しん》)、客同士《きゃくどうし》の軽《かる》いおじぎ(行《ぎょう》)、軽《かる》い会釈《えしゃく》のようなおじぎ(草《そう》)があります。

草《そう》：指先《ゆびさき》がたたみにつくくらいに体《からだ》をかたむける。

行《ぎょう》：指《ゆび》の第《だい》2関節《かんせつ》までたたみにつくくらいに体《からだ》をかたむける。

真《しん》：手《て》のひらがたたみにつくくらいに体《からだ》をかたむける。

真《しん》：指先《ゆびさき》がひざあたりに来《く》るまで上半身《じょうはんしん》をかたむける。

行《ぎょう》：指先《ゆびさき》が太《ふと》ももあたりに来《く》るまで上半身《じょうはんしん》をかたむける。

草《そう》：上半身《じょうはんしん》を少《すこ》し前《まえ》にかたむける。

相手《あいて》と気持《きも》ちを合《あ》わせておじぎをするんだって。

正座《せいざ》から立《た》ち上《あ》がる

正座《せいざ》から立《た》ち上《あ》がるときは、姿勢《しせい》をくずさず、たたみに手《て》をつかないで立《た》つようにします。

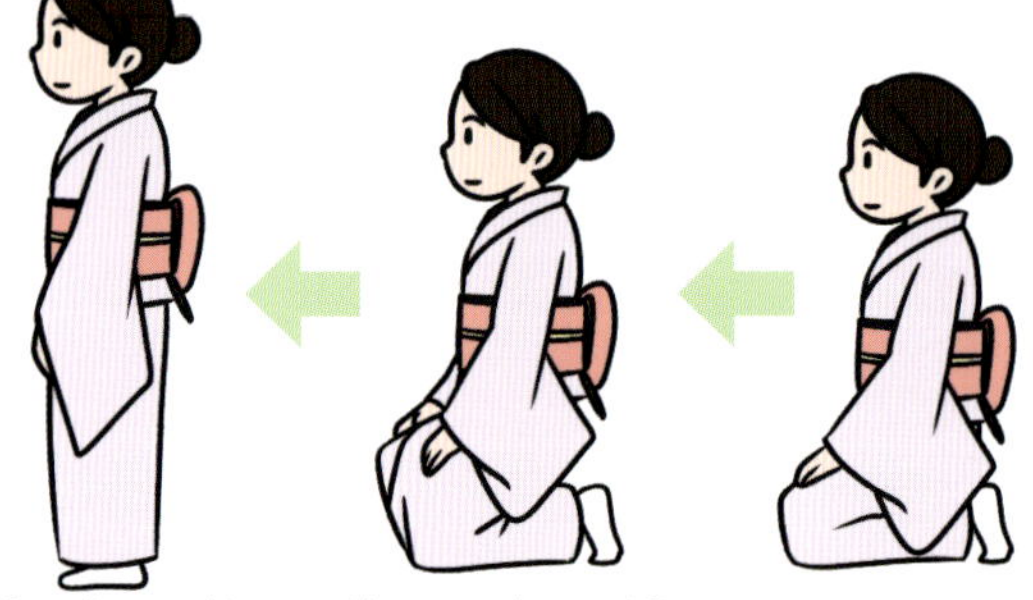

かかとをそろえてつま先《さき》を立《た》て、こしをかかとにのせる。

片《かた》ひざを立《た》て、両足《りょうあし》に力《ちから》を入《い》れて真《ま》っ直《す》ぐに立《た》つ。

前《まえ》に出《だ》した足《あし》を引《ひ》いて、両足《りょうあし》をそろえる。

手《て》にものを持《も》っていても、立《た》ち上《あ》がれるね。

ミニ情報　茶会《ちゃかい》では、亭主《ていしゅ》と客《きゃく》の間《あいだ》や、客同士《きゃくどうし》の間《あいだ》で礼《れい》（おじぎ）をすることが多《おお》い。座《すわ》ってする礼《れい》を座礼《ざれい》、立《た》ったままする礼《れい》を立礼《りゅうれい》という。

たたみの上《うえ》を歩《ある》く

たたみの上《うえ》では、ほかの座《すわ》っている人《ひと》から足《あし》の裏《うら》が見《み》えないように歩《ある》きます。また、大《おお》きな音《おと》をたてないようにします。足《あし》の裏《うら》がたたみに軽《かる》くふれるくらいに静《しず》かに歩《ある》きます。

つま先《さき》を少《すこ》し上《あ》げて、体重《たいじゅう》を乗《の》せるように足《あし》を前《まえ》に出《だ》し、静《しず》かに歩《ある》く。

たたみのへりをふんではいけない。

ふすまの開《あ》け閉《た》て

ふすまを開《あ》けるときは、立《た》ったままではなく、いったん座《すわ》ります。一気《いっき》に開《あ》けず、まず少《すこ》しだけ開《あ》け、その後《あと》、2度《ど》に分《わ》けて開《あ》けます。

ふすまの引手《ひきて》に、近《ちか》いほうの手《て》をかけ、まず手《て》が入《はい》るくらい開《あ》ける。

手《て》を20㎝ほど下《さ》げてすき間《ま》に手《て》を入《い》れ、体《からだ》の真《ま》ん中《なか》あたりまで開《あ》ける。

逆《ぎゃく》の手《て》にかえて、さらに開《あ》ける。全部《ぜんぶ》開《あ》けてしまわないようにする。

閉《し》めるときは、開《あ》けたときと反対《はんたい》の順《じゅん》で、引手《ひきて》に遠《とお》いほうの手《て》をかけて体《からだ》の真《ま》ん中《なか》あたりまでふすまを引《ひ》き、手《て》をかえて最後《さいご》まで閉《し》めます。

最初《さいしょ》に少《すこ》しだけ開《あ》けると、入《はい》ることを中《なか》の人《ひと》にお知《し》らせできるね。

茶道《さどう》での所作《しょさ》を学《まな》ぼう

お茶《ちゃ》やお菓子《かし》をいただくときや、道具《どうぐ》を見《み》るときの所作《しょさ》もやってみよう。

主菓子《おもがし》(→7ページ)は懐紙《かいし》に受《う》け、菓子切《かしきり》で切《き》って食《た》べます。

懐紙《かいし》は二《ふた》つに折《お》っておく。折《お》り目《め》が自分《じぶん》のほうに向《む》くようにする。

亭主《ていしゅ》が心《こころ》をこめて選《えら》んだ道具《どうぐ》を、客《きゃく》も心《こころ》をこめて見《み》ます(拝見《はいけん》する)。

両手《りょうて》でていねいにあつかう。

姿勢《しせい》を低《ひく》くして、道具《どうぐ》を落《お》としたりしないように注意《ちゅうい》する。

今度《こんど》やってみよう!

ミニ情報

「和敬静寂《わけいせいじゃく》」は、茶道《さどう》の精神《せいしん》や境地《きょうち》を表《あらわ》す言葉《ことば》。亭主《ていしゅ》と客《きゃく》が心《こころ》を和《やわ》らげて尊敬《そんけい》し合《あ》うこと、茶庭《ちゃてい》や茶室《ちゃしつ》、茶道具《ちゃどうぐ》などを清《きよ》らかな状態《じょうたい》に保《たも》つことをいう。

第《だい》2章《しょう》

華《か》道《どう》

「華道《かどう》」は「生《い》け花《ばな》」ともいい、四季《しき》おりおりの花《はな》や草木《そうもく》を用《もち》いて楽《たの》しむ芸術《げいじゅつ》です。

花《はな》を生《い》けることだよね。

難《むずか》しいのかなあ。

クイズ1

家《いえ》の中《なか》のある場所《ばしょ》に花《はな》をかざったことが、華道《かどう》の始《はじ》まりと言《い》われています。その場所《ばしょ》とは？

20〜21ページを見《み》よう。

1 床《とこ》の間《ま》

©PIXTA

2 門《もん》

©PIXTA

3 かまど

©PIXTA

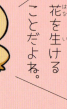

クイズ2

華道《かどう》では、季節《きせつ》の花《はな》を生《い》けて楽《たの》しみます。秋《あき》を代表《だいひょう》する花《はな》はどれ？

26～27ページを見《み》よう。

©PIXTA

1 あじさい

©PIXTA

2 きく

©PIXTA

3 もも

クイズ3

花《はな》を生《い》けるときに使《つか》うこの道具《どうぐ》の名前《なまえ》は？

24～25ページを見《み》よう。

©PIXTA

1 水盤《すいばん》

2 剣山《けんざん》

3 はさみ

©PIXTA

華《か》道《どう》ってなに？

華道《かどう》では、花《はな》などの植物《しょくぶつ》を美《うつく》しく生《い》け、それを鑑賞《かんしょう》して楽《たの》しみます。

日本《にっぽん》では、古《ふる》くから春夏秋冬《しゅんかしゅうとう》の季節《きせつ》ごとにさく花《はな》を楽《たの》しんできました。

歌《うた》によむことや…、
仏様《ほとけさま》に供《そな》えることもありました。

約《やく》600年前《ねんまえ》の室町時代《むろまちじだい》半《なか》ばに、書院造《しょいんづくり》という様式《ようしき》の住《す》まいがつくられるようになり、床《とこ》の間《ま》やちがいだなのある座敷《ざしき》がつくられました。

床《とこ》の間《ま》には花《はな》がかざられるようになりました。花《はな》だけでなく、花《はな》のある空間全体《くうかんぜんたい》を楽《たの》しんだのです。

いろいろな人《ひと》が、いろいろな方法《ほうほう》で、花《はな》を生《い》けるようになります。

それぞれのやり方《かた》は、流派《りゅうは》とよばれ、それぞれに発展《はってん》しました。

流派《りゅうは》によって、生《い》け方《かた》にはちがいがあります。

ミニ情報　奈良時代《ならじだい》につくられた現存《げんそん》する日本最古《にっぽんさいこ》の歌集《かしゅう》の『万葉集《まんようしゅう》』には、植物《しょくぶつ》をよんだ歌《うた》も多《おお》く、約《やく》160種《しゅ》の植物《しょくぶつ》が歌《うた》によまれている。最《もっと》も多《おお》くよまれた植物《しょくぶつ》は萩《はぎ》で、梅《うめ》がそれに次《つ》ぐ。

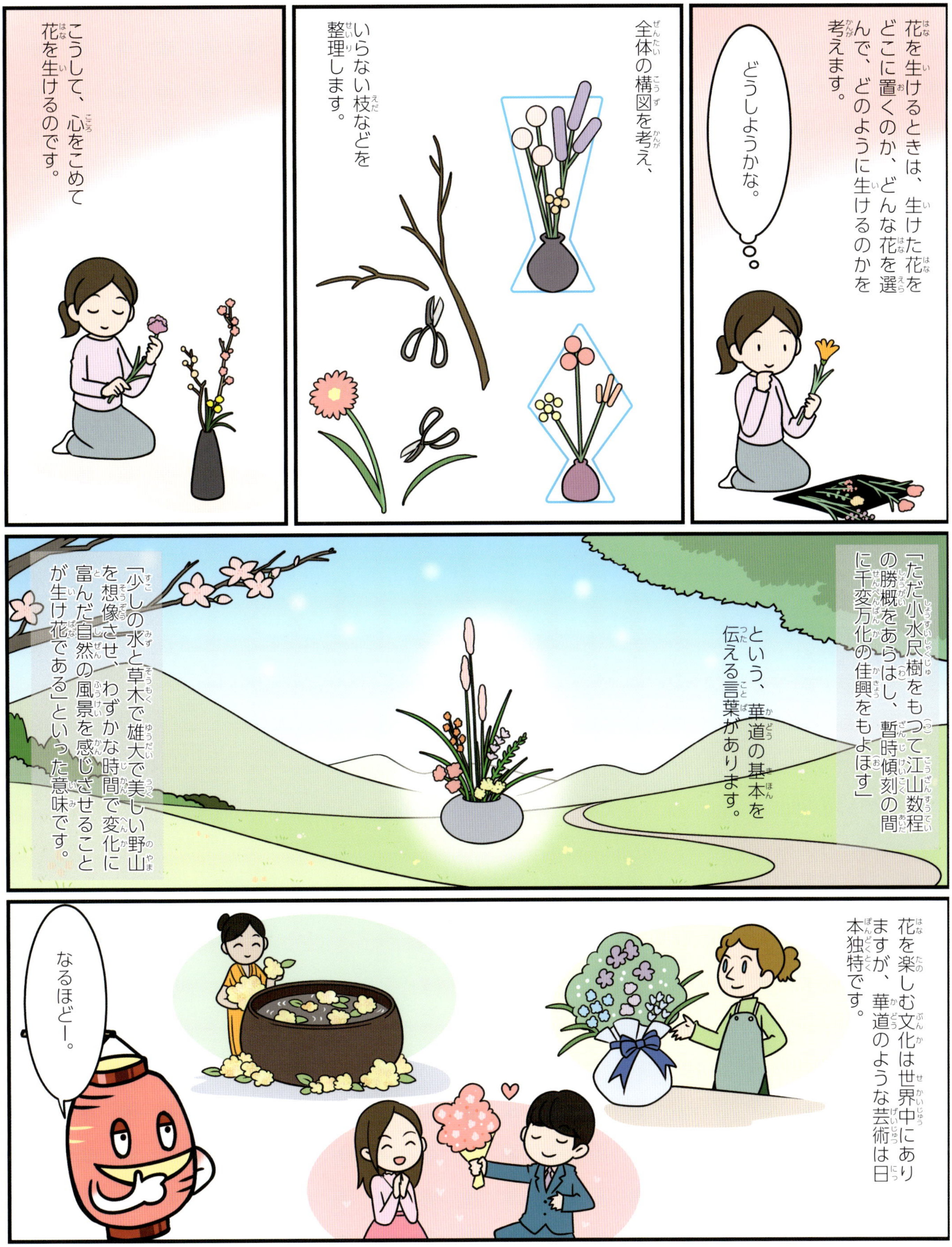
花《はな》を生《い》けるときは、生《い》けた花《はな》をどこに置《お》くのか、どんな花《はな》を選《えら》んで、どのように生《い》けるのかを考《かんが》えます。

どうしようかな。

全体《ぜんたい》の構図《こうず》を考《かんが》え、いらない枝《えだ》などを整理《せいり》します。

こうして、心《こころ》をこめて花《はな》を生《い》けるのです。

「ただ小水尺樹《しょうすいしゃくじゅ》をもつ《(っ)》て江山数程《こうざんすうてい》の勝概《しょうがい》をあらは《(わ)》し、暫時傾刻《ざんじけいこく》の間《あいだ》に千変万化《せんぺんばんか》の佳興《かきょう》をもよほ《(お)》す」

という、華道《かどう》の基本《きほん》を伝《つた》える言葉《ことば》があります。

「少《すこ》しの水《みず》と草木《そうもく》で雄大《ゆうだい》で美《うつく》しい野山《のやま》を想像《そうぞう》させ、わずかな時間《じかん》で変化《へんか》に富《と》んだ自然《しぜん》の風景《ふうけい》を感《かん》じさせることが生《い》け花《ばな》である」といった意味《いみ》です。

花《はな》を楽《たの》しむ文化《ぶんか》は世界中《せかいじゅう》にありますが、華道《かどう》のような芸術《げいじゅつ》は日本独特《にっぽんどくとく》です。

なるほどー。

ミニ情報

「ただ小水尺樹《しょうすいしゃくじゅ》をもつ《(っ)》て～」の言葉《ことば》は、生《い》け花《ばな》を芸術《げいじゅつ》に高《たか》めたとされる池坊専応《いけのぼうせんおう》が、16 世紀半《せいきなか》ばに生《い》け花《ばな》の理論《りろん》を著《あらわ》した「池坊専応口伝《いけのぼうせんおうくでん》」に書《か》かれている。

生《い》け花《ばな》の基本《きほん》を探検《たんけん》！

流派《りゅうは》にもよりますが、生《い》け花《ばな》には、立花《りっか》、生花《しょうか》、自由花《じゆうか》とよばれる基本的《きほんてき》な形式《けいしき》があります。

基本《きほん》の生《い》け方《かた》

立花《りっか》

約《やく》500年前《ねんまえ》の室町時代後期《むろまちじだいこうき》にできた、生《い》け花《ばな》の最《もっと》も古《ふる》い形式《けいしき》で、数種類《すうしゅるい》の花材《かざい》を用《もち》いて、大自然《だいしぜん》の風景《ふうけい》を表《あらわ》します。

写真：華道家元池坊総務所

生花《しょうか》

江戸時代中期《えどじだいちゅうき》に行《おこな》われるようになった形式《けいしき》です。1～3種類《しゅるい》の花材《かざい》で、草木《そうもく》が地《ち》に根《ね》をはって生《い》きる様子《ようす》を表《あらわ》します。

写真：華道家元池坊総務所

ミニ情報 華道《かどう》には、多《おお》くの流派《りゅうは》がある。華道《かどう》の大《おお》もととなった池坊《いけのぼう》をはじめ、草月流《そうげつりゅう》、小原流《おはらりゅう》、龍生派《りゅうせいは》、嵯峨御流《さがごりゅう》、未生流《みしょうりゅう》、古流《こりゅう》が代表的《だいひょうてき》。池坊《いけのぼう》には「～流《りゅう》」、「～派《は》」などをつけない。

自由花《じゆうか》

決《き》まった形式《けいしき》はなく、草木《そうもく》の形《かたち》などを考《かんが》えながら、自由《じゆう》に生《い》けます。さまざまな表現《ひょうげん》ができます。

写真：華道家元池坊総務所

「真《しん》・副《そえ》・体《たい》」のバランスで

生花《しょうか》では、「真《しん》・副《そえ》・体《たい》」（流派《りゅうは》によって「天《てん》・地《ち》・人《じん》」、「用《よう》・留《とめ》・体《たい》」などともいう）の3つの高《たか》さなどを考《かんが》えて、バランスよく生《い》けます。

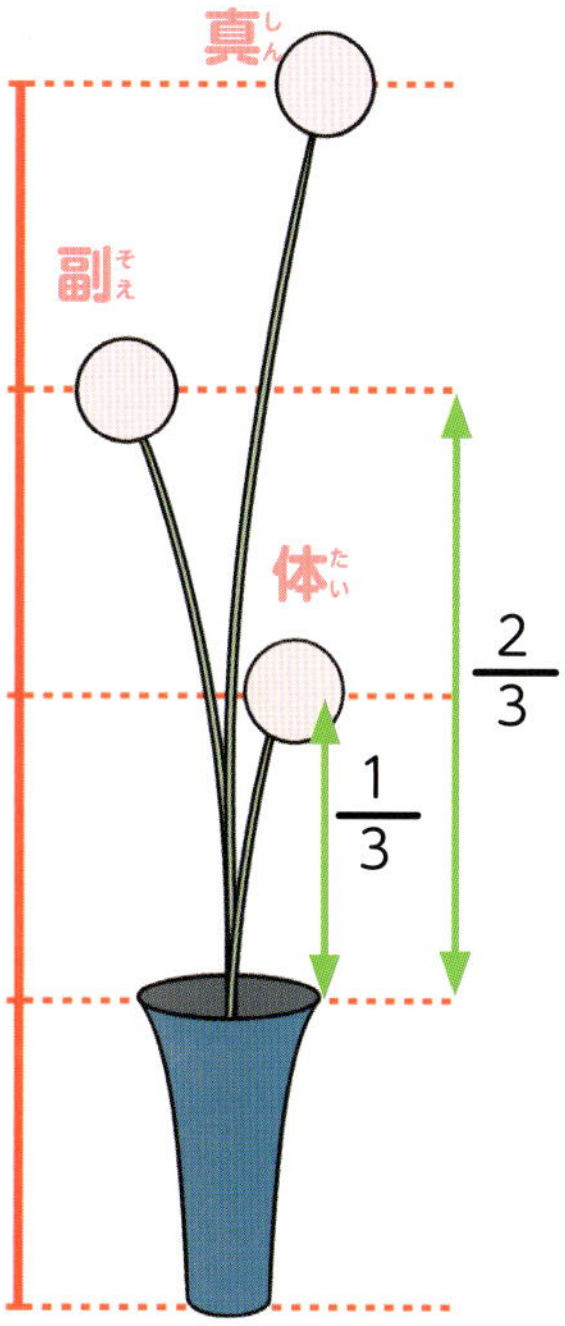

「真《しん》」の3分《ぶん》の2くらいの高《たか》さを「副《そえ》」に、「真《しん》」の3分《ぶん》の1くらいの高《たか》さを「体《たい》」にすると、バランスがよいとされます。

「真《しん》・副《そえ》・体《たい》」にする花材《かざい》を決《き》めて切《き》っていきます。

ミニ情報 立花《りっか》、生花《しょうか》、自由花《じゆうか》は、池坊《いけのぼう》の基本的《きほんてき》な形式《けいしき》。生花《しょうか》（ほかの流派《りゅうは》では「せいか」ということもある）は、それより前《まえ》の立花《りっか》に比《くら》べて手軽《てがる》に生《い》けられることから、庶民《しょみん》の間《あいだ》にも流行《りゅうこう》した。

生《い》け花《ばな》の道具《どうぐ》を探検《たんけん》！

花器《かき》

花《はな》などを生《い》ける器《うつわ》です。生《い》ける花材《かざい》に合《あ》わせて、大《おお》きさや色《いろ》を選《えら》びます。

口《くち》が広《ひろ》く浅《あさ》い花器《かき》

水盤《すいばん》といいます。花留《はなど》め（剣山《けんざん》）を使《つか》い、高《たか》くも低《ひく》くも生《い》けることができます。

©PIXTA

Bergman.co/Shutterstock.com

©PIXTA

背《せ》が高《たか》い花器《かき》

縦《たて》の方向《ほうこう》に真《ま》っ直《す》ぐに長《なが》い花器《かき》です。

©PIXTA

©PIXTA

©PIXTA

©PIXTA

生《い》け花《ばな》では、花器《かき》をはじめ、さまざまな道具《どうぐ》が使《つか》われます。

©PIXTA

さまざまな花器《かき》

変《か》わった形《かたち》の花器《かき》もあります。花器《かき》の形《かたち》を生《い》かして生《い》ける楽《たの》しさがあります。

Bergman.co/Shutterstock.com

Bergman.co/Shutterstock.com

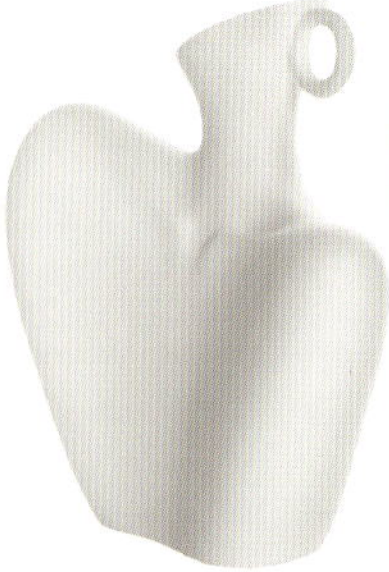

New Africa/Shutterstock.com

ミニ情報　花器《かき》の材質《ざいしつ》はさまざまで、銅《どう》などの金属器《きんぞくき》、陶器《とうき》、磁器《じき》、ガラス、竹《たけ》、かご（竹《たけ》や籐《とう》、ふじのつるなどを編《あ》んだもの）、ふくべ（ひょうたんをくりぬいたもの）、木《き》などがある。

花留《はなど》め（剣山《けんざん》）

浅《あさ》い花器《かき》を使《つか》って生《い》ける際《さい》に、花材《かざい》をさして動《うご》かないようにする道具《どうぐ》です。たくさんの針《はり》がついていて、そこに花《はな》や木《き》をさします。

浅《あさ》い花器《かき》に置《お》く。
©PIXTA

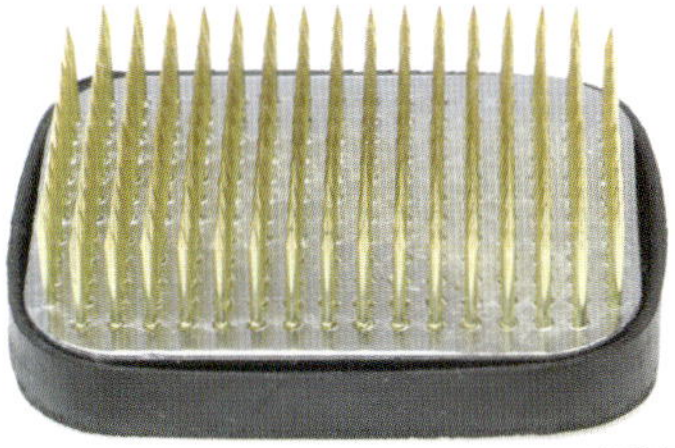
©PIXTA

©PIXTA

針《はり》の山《やま》みたい！

花《はな》ばさみ

生《い》け花専用《ばなせんよう》のはさみです。くきや葉《は》、枝《えだ》などを切《き》るときに使《つか》います。刃《は》が短《みじか》く、切《き》れ味《あじ》がよいのが特長《とくちょう》です。持《も》ち手《て》が一重《ひとえ》の「わらび手《て》」と持《も》ち手《て》が輪《わ》になった「つる手《て》」があります。

わらび手《て》の花《はな》ばさみ
©PIXTA

つる手《て》の花《はな》ばさみ
©PIXTA

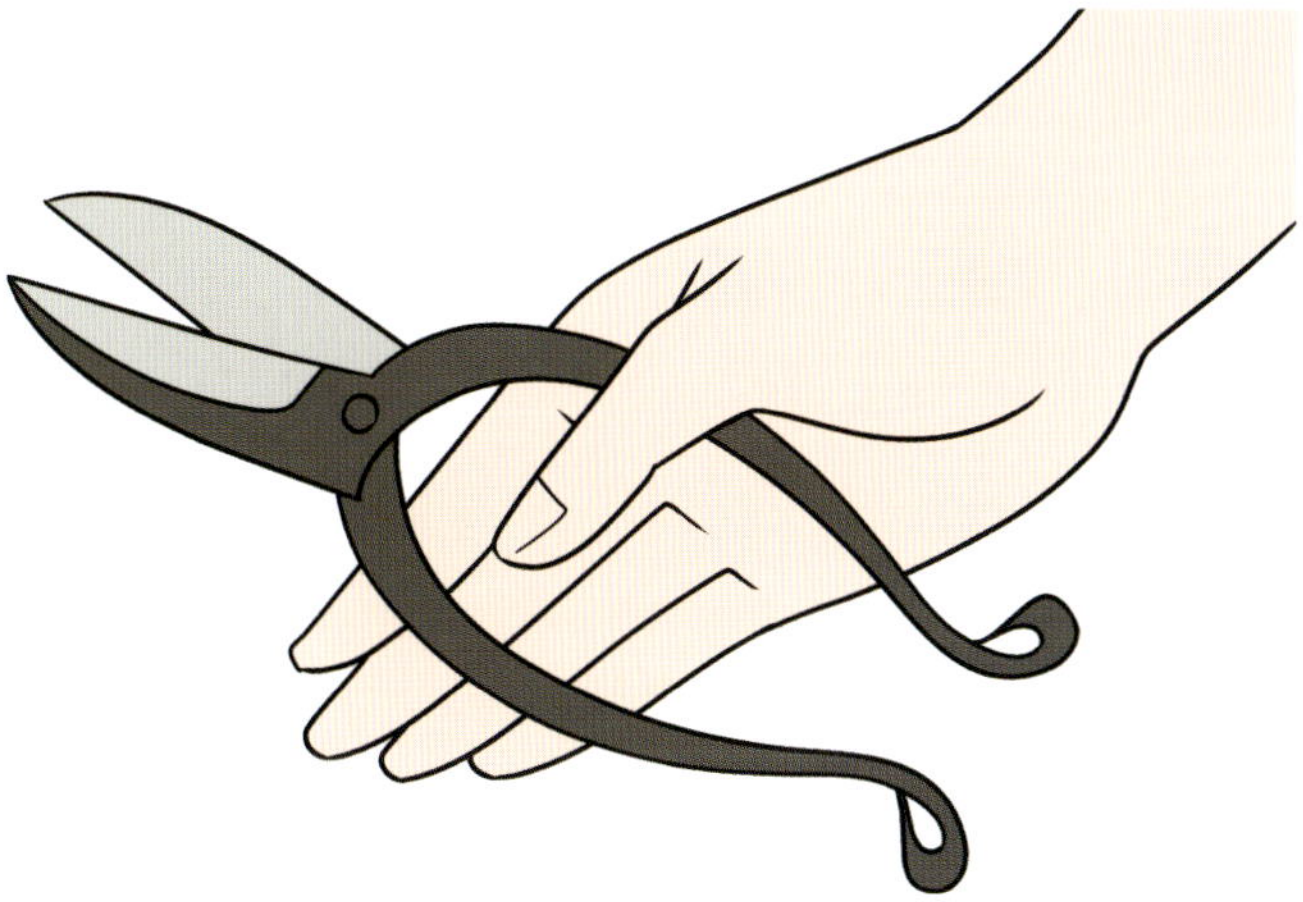
わらび手《て》の花《はな》ばさみの持《も》ち方《かた》。親指《おやゆび》でおさえ、残《のこ》りの指《ゆび》を外側《そとがわ》にして持《も》つ。

水《みず》さし

花器《かき》などに水《みず》を入《い》れるのに使《つか》います。

Stocky boi/Shutterstock.com

のこぎり

はさみでは切《き》りにくい、太《ふと》い枝《えだ》を切《き》るときに使《つか》います。

©PIXTA

花器《かき》、花留《はなど》め、花《はな》ばさみが、生《い》け花《ばな》の基本《きほん》の道具《どうぐ》なんだって。

ミニ情報　花留《はなど》め（剣山《けんざん》）には、円形《えんけい》、角形《かくがた》などの形《かたち》があり、針《はり》のあらさもさまざまなものがある。草花《くさばな》を留《と》めるには針《はり》が細《こま》かいもの、太《ふと》い枝《えだ》を留《と》めるには針《はり》のあらいものが適《てき》している。

生《い》け花《ばな》で季《き》節《せつ》を楽《たの》しもう！

華道《かどう》では季節《きせつ》の花《はな》を生《い》けて楽《たの》しみます。また、年中行事《ねんちゅうぎょうじ》に合《あ》わせて生《い》けることもあります。

春《はる》

もも、菜《な》の花《はな》、花水木《はなみずき》など、春《はる》になると多《おお》くの花《はな》が出回《でまわ》ります。ねこやなぎ、桜草《さくらそう》、こぶしなども使《つか》われます。

花材《かざい》：もも、菜《な》の花《はな》　写真：イメージナビ／アフロ

花水木《はなみずき》 ©PIXTA

ねこやなぎ ©PIXTA

夏《なつ》

あじさい、しゃくやく、ゆり、はすなど、印象《いんしょう》の強《つよ》い花《はな》が多《おお》い時期《じき》です。アンスリウム、トルコギキョウなども使《つか》われます。

花材《かざい》：あじさい、ざくろ　写真：小川和夫／アフロ

しゃくやく ©PIXTA

ゆり ©PIXTA

年中行事《ねんちゅうぎょうじ》と生《い》け花《ばな》

年中行事《ねんちゅうぎょうじ》のときに花《はな》を生《い》けて、お祝《いわ》いの気持《きも》ちなどを表《あらわ》すこともあります。

正月《しょうがつ》

一年《いちねん》の初《はじ》めを祝《いわ》い、松《まつ》、竹《たけ》、梅《うめ》のような縁起《えんぎ》のよい草木《そうもく》をかざります。そのほか、千両《せんりょう》、万両《まんりょう》、福寿草《ふくじゅそう》なども使《つか》われます。

花材《かざい》：松《まつ》、千両《せんりょう》、南天《なんてん》、ばら　写真：アートスペース／アフロ

千両《せんりょう》 ©PIXTA

万両《まんりょう》 ©PIXTA

ミニ情報

千両《せんりょう》と万両《まんりょう》は、ともに冬《ふゆ》に赤《あか》い実《み》と緑《みどり》の葉《は》をつけることから縁起《えんぎ》のよい植物《しょくぶつ》とされ、正月《しょうがつ》の花材《かざい》としてよく使《つか》われる。

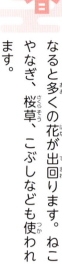

秋《あき》

夏《なつ》のはなやかさに比《くら》べ、きく、すすき、われもこうなど、落《お》ち着《つ》いた色《いろ》の花材《かざい》が出回《でまわ》ります。くず、ききょうなども使《つか》われます。

花材《かざい》：きく、さざんか

写真：イメージマート

すすき

©PIXTA

われもこう

©PIXTA

冬《ふゆ》

花《はな》が少《すく》ない時期《じき》です。正月《しょうがつ》にかざる葉《は》ぼたんや千両《せんりょう》などのほか、つばきや梅《うめ》などが出回《でまわ》ります。おもと、すいせんなども使《つか》われます。

花材《かざい》：ゆず、南天《なんてん》

写真：小川和夫 / アフロ

つばき

©PIXTA

すいせん

©PIXTA

端午《たんご》の節句《せっく》

子《こ》どもの健《すこ》やかな成長《せいちょう》を願《ねが》う節句《せっく》です。「菖蒲《しょうぶ》の節句《せっく》」とも言《い》われます。

花材《かざい》：はなしょうぶ、しゃくやく、カレープラント

写真：田中秀明 / アフロ

中秋《ちゅうしゅう》

旧暦《きゅうれき》8月《がつ》15日《にち》の月《つき》を見《み》て楽《たの》しみます。月《つき》に団子《だんご》やすすきを供《そな》える習慣《しゅうかん》があります。

花材《かざい》：すすき、けいとう、おみなえし、コスモス、くり

写真：JAPACK/ アフロ

ミニ情報

「端午《たんご》の節句《せっく》」は、5月《がつ》5日《か》の節句《せっく》。江戸時代《えどじだい》に、男《おとこ》の子《こ》がいる家《いえ》で、こいのぼりを立《た》て、かしわもちやちまきを食《た》べる習慣《しゅうかん》が広《ひろ》まった。現在《げんざい》は「こどもの日《ひ》」として祝日《しゅくじつ》になっている。

華《か》道《どう》の歴《れき》史《し》を探《たん》検《けん》！

花《はな》を楽《たの》しむ習慣《しゅうかん》がもとになり、室町時代《むろまちじだい》の半《なか》ばに花《はな》を生《い》ける方法《ほうほう》がまとめられ、華道《かどう》が成立《せいりつ》しました。

植物《しょくぶつ》をうやまい、見《み》て楽《たの》しむ

古《ふる》くから、日本《にっぽん》では花《はな》や木《き》などの植物《しょくぶつ》に神様《かみさま》が宿《やど》ると考《かんが》えられていました。花《はな》をよんだ和歌《わか》も多《おお》く、花《はな》を楽《たの》しんでいたと考《かんが》えられています。

貴族《きぞく》が花《はな》をかざって楽《たの》しむ

平安時代《へいあんじだい》に、貴族《きぞく》が庭《にわ》に花《はな》を植《う》えるようになりました。さらに、かめやつぼなどの器《うつわ》に花《はな》をさして、室内《しつない》で鑑賞《かんしょう》するようになりました。

書院造《しょいんづくり》の建物《たてもの》に花《はな》をかざる

室町時代《むろまちじだい》になると、武士《ぶし》の間《あいだ》で書院造《しょいんづくり》という建築様式《けんちくようしき》の建物《たてもの》がつくられました。そこには床《とこ》の間《ま》がつくられ、花《はな》がかざられるようになりました。

書院造《しょいんづくり》の建物《たてもの》につくられた床《とこ》の間《ま》。 ©PIXTA

池坊専慶《いけのぼうせんけい》が生《い》け花《ばな》を始《はじ》める

1462年《ねん》、京都《きょうと》の六角堂《ろっかくどう》（頂法寺《ちょうほうじ》）の僧侶《そうりょ》・池坊専慶《いけのぼうせんけい》が武士《ぶし》に招《まね》かれて花《はな》をさし、京都《きょうと》の人々《ひとびと》の間《あいだ》で評判《ひょうばん》となりました。これが生《い》け花《ばな》の始《はじ》まりと言《い》われています。池坊《いけのぼう》の理論《りろん》は、その後《ご》も受《う》けつがれていきます。

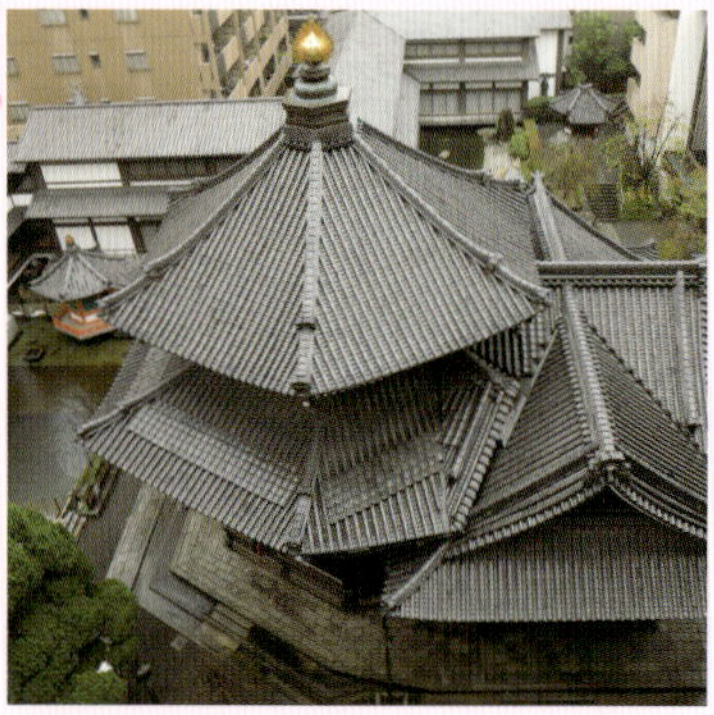

現在《げんざい》の六角堂《ろっかくどう》（頂法寺《ちょうほうじ》） ©PIXTA

六角堂《ろっかくどう》（頂法寺《ちょうほうじ》）の門《もん》 ©PIXTA

ミニ情報 京都《きょうと》の六角堂《ろっかくどう》（頂法寺《ちょうほうじ》）は、飛鳥時代《あすかじだい》の587年《ねん》に、聖徳太子《しょうとくたいし》（厩戸皇子《うまやどのおうじ》）が創建《そうけん》したと伝《つた》えられている。生《い》け花発祥《ばなはっしょう》の地《ち》として知《し》られ、華道《かどう》の家元《いえもと》の池坊《いけのぼう》が住職《じゅうしょく》を務《つと》める。

花伝書《かでんしょ》が書《か》かれる

「花王以来《かおういらい》の花伝書《かでんしょ》」は、今残《いまのこ》る最古《さいこ》の花伝書《かでんしょ》で、40以上《いじょう》の花《はな》の生《い》け方《かた》が図《ず》で示《しめ》されています。16世紀前半《せいきぜんはん》には、池坊専応《いけのぼうせんおう》が、専慶以来《せんけいいらい》の積《つ》み重《かさ》ねをもとに生《い》け花《ばな》の理論《りろん》を花伝書《かでんしょ》にまとめ、弟子《でし》に伝《つた》えました。

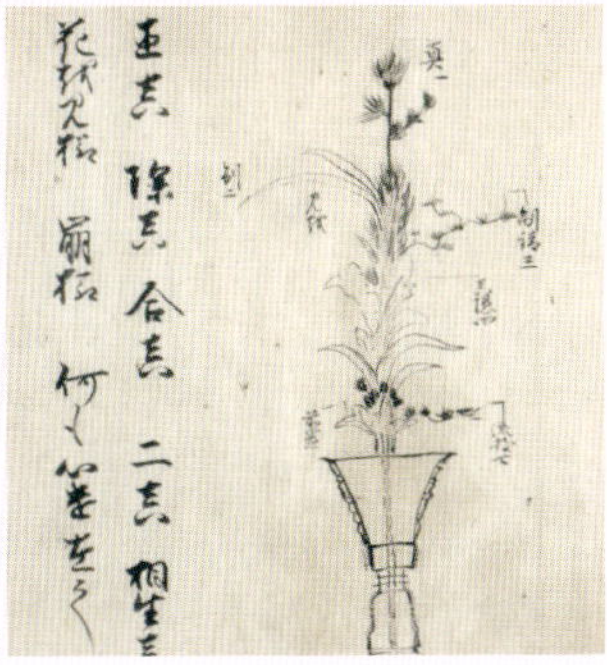

「池坊専栄花伝書《いけのぼうせんえいかでんしょ》」（1545年《ねん》）

写真：華道家元池坊総務所

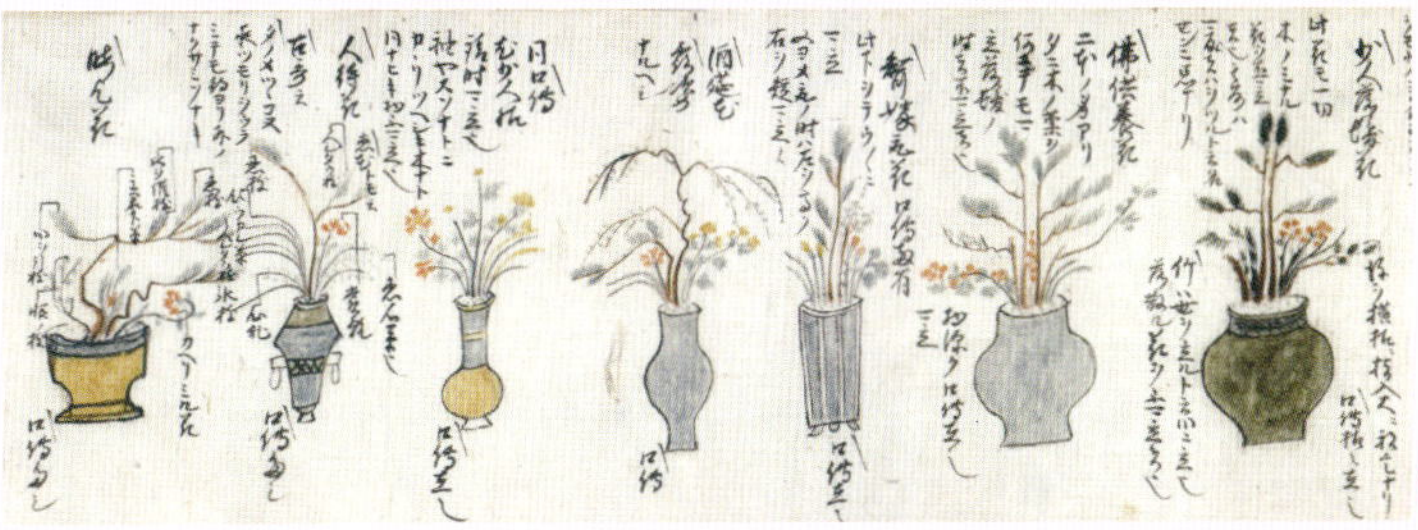

「花王以来《かおういらい》の花伝書《かでんしょ》」

写真：華道家元池坊総務所

立花《りっか》の広《ひろ》まりと生花《しょうか》の始《はじ》まり

江戸時代《えどじだい》には、立花《りっか》が広《ひろ》まりました。その一方《いっぽう》で、形式《けいしき》にとらわれず、自然《しぜん》の姿《すがた》をそのまま生《い》かす投《な》げ入《い》れ花《ばな》が行《おこな》われるようになりました。18世紀《せいき》の中《なか》ごろには、投《な》げ入《い》れ花《ばな》が格調高《かくちょうたか》い生花《しょうか》に発展《はってん》しました。

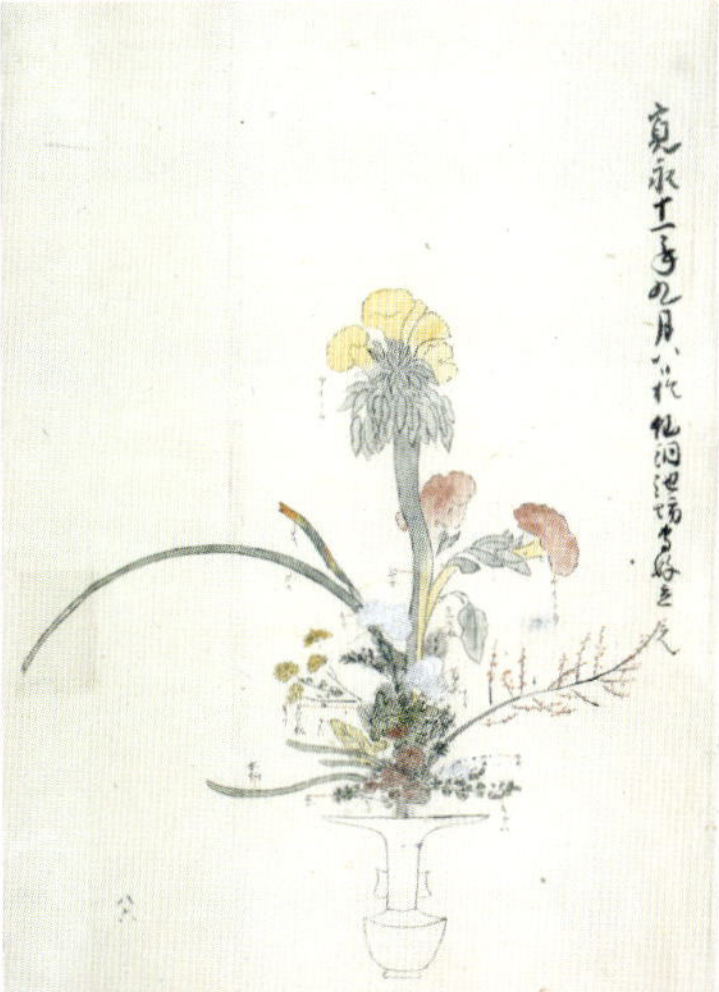

「池坊専好立花図《いけのぼうせんこうりっかず》」

写真：華道家元池坊総務所

池坊専好《いけのぼうせんこう》（初代《しょだい》）の大砂物《おおすなもの》

安土桃山時代《あづちももやまじだい》に、城《しろ》などに大《おお》きな床《とこ》の間《ま》が設《もう》けられ、そこに花《はな》がかざられるようになりました。池坊専好《いけのぼうせんこう》（初《しょ》代《だい》）は、1594年《ねん》、有力武将《ゆうりょくぶしょう》の前《まえ》田利家邸《だとしいえてい》の四間床《しけんどこ》に大砂物《おおすなもの》を立《た》てて評判《ひょうばん》になりました。

前田利家邸《まえだとしいえてい》につくられた大砂物《おおすなもの》（砂物《すなもの》：器《うつわ》に砂《すな》をしきつめたもの）の復元《ふくげん》。

写真：華道家元池坊総務所

女学校《じょがっこう》で教《おし》えられる

明治時代《めいじじだい》には、女学校《じょがっこう》で生《い》け花《ばな》が教《おし》えられるようになりました。

また、西洋《せいよう》の文化《ぶんか》が入《はい》ってくると、それに合《あ》う盛花《もりばな》が行《おこな》われるようになりました。

女学校《じょがっこう》での生《い》け花《ばな》の授業《じゅぎょう》。

絵ハガキ（文部大臣認可　弘前和洋裁縫女学校（壱））（部分）

青森県　クリエイティブ・コモンズ・ライセンス表示 4.0 国際（CC BY 4.0）

自由花《じゆうか》が広《ひろ》まる

第二次世界大戦後《だいにじせかいたいせんご》に、形式《けいしき》にとらわれない自由花《じゆうか》が定着《ていちゃく》しました。また、海外《かいがい》でも華道《かどう》が行《おこな》われるようになりました。

アメリカの生《い》け花教室《ばなきょうしつ》。

写真：ZUMA Press/ アフロ

ミニ情報

「花伝書《かでんしょ》」とは、花《はな》を生《い》ける技法《ぎほう》や、生《い》けるときの心《こころ》がまえや理論《りろん》などをまとめた書物《しょもつ》のこと。16世紀《せいき》には、「池坊専応口伝《いけのぼうせんおうくでん》」、「池坊専栄花伝書《いけのぼうせんえいかでんしょ》」をはじめ、多《おお》くの花伝書《かでんしょ》がつくられた。

生《い》け花《ばな》にチャレンジしよう！

生《い》け花《ばな》で使《つか》われる技術《ぎじゅつ》を使《つか》って、花《はな》をかざってみましょう。

花《はな》の水揚《みずあ》げ

花《はな》に水《みず》を吸《す》わせ、長持《ながも》ちさせることを水揚《みずあ》げといいます。水切《みずき》り、深水《ふかみず》など、いくつかの方法《ほうほう》があります。

水切《みずき》り

水《みず》の中《なか》でくきの先《さき》を切《き》って、くきから水《みず》を吸《す》い上《あ》げやすくし、花《はな》のみずみずしさが長持《ながも》ちするようにします。

容器《ようき》に水《みず》を入《い》れ、その中《なか》にくきをつけて切《き》る。切《き》り口《くち》が空気《くうき》にふれ、菌《きん》などがついて傷《いた》みやすくなることを防《ふせ》ぐ。

深水《ふかみず》

バラなど、水《みず》を吸《す》い上《あ》げる力《ちから》が弱《よわ》い花《はな》や、花《はな》に元気《げんき》がないときは、深水《ふかみず》をするとみずみずしくなり、長持《ながも》ちします。

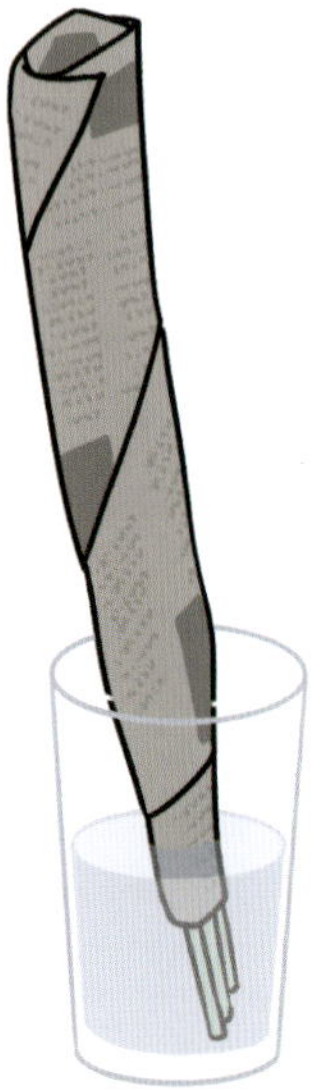

深水《ふかみず》の方法《ほうほう》。新聞紙《しんぶんし》などに包《つつ》み、くきが半分《はんぶん》くらい水《みず》にひたるようにする。

皮《かわ》をむく、割《わ》る、たたく

水《みず》を吸《す》い上《あ》げにくい枝《えだ》の場合《ばあい》は、皮《かわ》をむいたり、割《わ》ったりします。

枝《えだ》の先《さき》の皮《かわ》をむく。

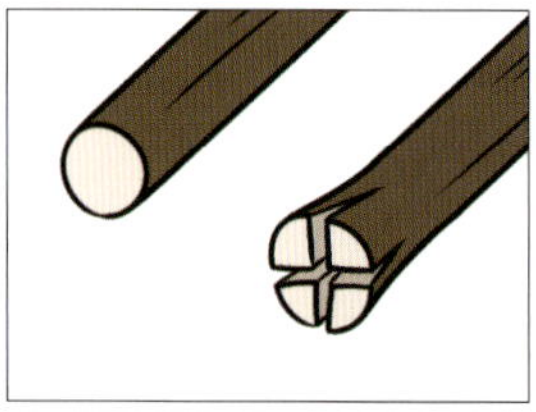

枝《えだ》の先《あき》を十字《じゅうじ》に切《き》る。

枝《えだ》の先《あき》をたたく。

ミニ情報 水揚《みずあ》げには薬品《やくひん》などを使《つか》う方法《ほうほう》もあり、水切《みずき》りした後《あと》の根本《ねもと》に塩《しお》やミョウバンをすりこんだり、根本《ねもと》をアルコール液《えき》や酢《す》につけたりする。

花《はな》ばさみでくきや枝《えだ》を切《き》る

生《い》ける前《まえ》に、花材《かざい》を花器《かき》に合《あ》う長《なが》さにするため、くきや枝《えだ》をはさみで切《き》ります。やわらかい草花《くさばな》はくきに対《たい》して直角《ちょっかく》に、かたい枝《えだ》は、枝《えだ》に対《たい》してななめに切《き》ります。

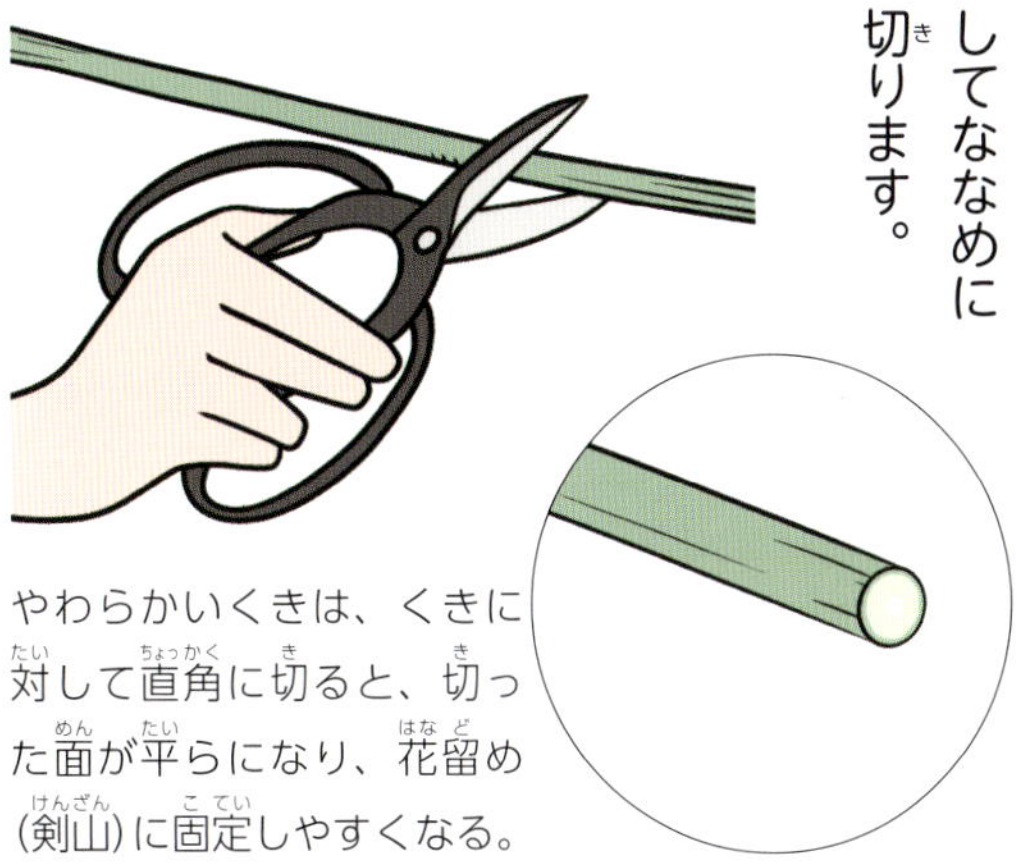

やわらかいくきは、くきに対《たい》して直角《ちょっかく》に切《き》ると、切《き》った面《めん》が平《たい》らになり、花留《はなど》め（剣山《けんざん》）に固定《こてい》しやすくなる。

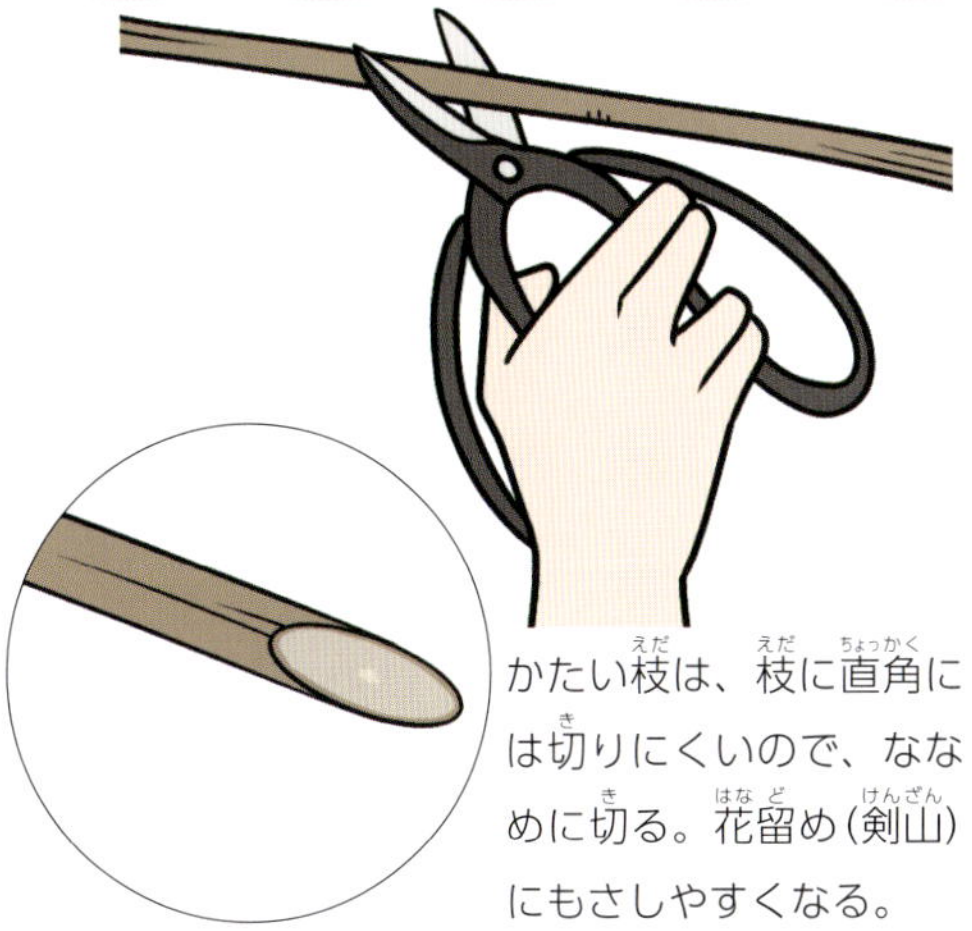

かたい枝《えだ》は、枝《えだ》に直角《ちょっかく》には切《き》りにくいので、ななめに切《き》る。花留《はなど》め（剣山《けんざん》）にもさしやすくなる。

花留《はなど》めの方法《ほうほう》

花《はな》を固定《こてい》することを「花留《はなどめ》」といいます。そのための道具《どうぐ》が花留《はなど》め（剣山《けんざん》）で、それ以外《いがい》に、植物《しょくぶつ》のつるやワイヤーを使《つか》う方法《ほうほう》などがあります。

花留《はなど》め（剣山《けんざん》）にさす。

植物《しょくぶつ》のつるで固定《こてい》する。

枝《えだ》で仕切《しき》る

深《ふか》さのある花器《かき》に花《はな》を固定《こてい》したいときは、余《あま》っている枝《えだ》を組《く》み合《あ》わせて花器《かき》の中《なか》に入《い》れるなどの方法《ほうほう》があります。

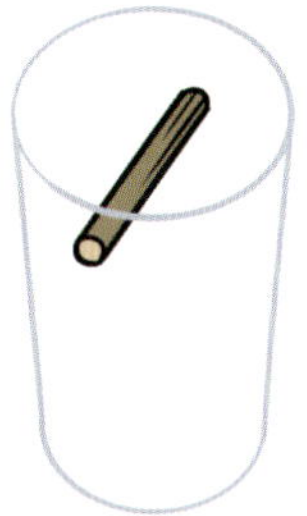

枝《えだ》を1本《ぽん》、花器《かき》の内側《うちがわ》に入《い》れる。

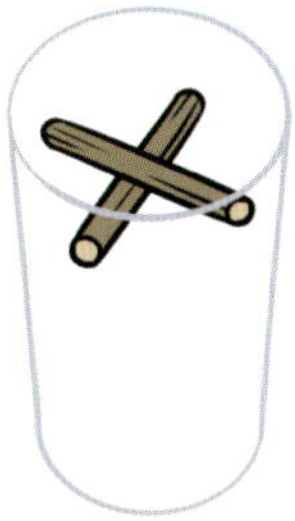

2本《ほん》の枝《えだ》を十字《じゅうじ》にして花器《かき》に入《い》れる。

枝《えだ》をいくつかに折《お》る。

生《い》け花《ばな》では、花《はな》を大切《たいせつ》にしているんだね。

花《はな》はいけて「花《はな》に成《な》る」

日本《にっぽん》の美《び》を探求《たんきゅう》した随筆家《ずいひつか》の白洲《しらす》正子《まさこ》が、花《はな》をいけることについて書《か》いた文章《ぶんしょう》があります。

「花《はな》をいけるというのは、実《じつ》にいい言葉《ことば》だと思《おも》う。花《はな》は野《の》にあっても、生《い》きているのに違《ちが》いはないが、人間《にんげん》が摘《つ》んで、器《うつわ》に入《い》れ、部屋《へや》に飾《かざ》った時《とき》、花《はな》はほんとうの命《いのち》を得《え》る。（後略《こうりゃく》）」

自然《しぜん》の花《はな》は言《い》ってみれば素材《そざい》にすぎず、いけてはじめて「花《はな》に成《な》る」のだと続《つづ》けています。ただ都合《つごう》よく整《ととの》えて飾《かざ》る花《はな》とは違《ちが》う、生《い》け花《ばな》における、花《はな》に対《たい》する考《かんが》え方《かた》や美意識《びいしき》が感《かん》じられる文章《ぶんしょう》です。

白洲《しらす》正子《まさこ》『花日記《はなにっき》』

ミニ情報　作家《さっか》の川端康成《かわばたやすなり》は、1968（昭和《しょうわ》43）年《ねん》にノーベル文学賞《ぶんがくしょう》を受賞《じゅしょう》したときの記念講演《きねんこうえん》「美《うつく》しい日本《にほん》の私《わたし》―その序説《じょせつ》」で、「池坊専応口伝《いけのぼうせんおうくでん》」にふれ、伝統的《でんとうてき》な華道《かどう》の精神《せいしん》について世界《せかい》に紹介《しょうかい》した。

第《だい》3章《しょう》

書《しょ》道《どう》

「書道《しょどう》」は、筆《ふで》とすみを使《つか》って、漢字《かんじ》やひらがなを美《うつく》しく書《か》くことをいいます。作品《さくひん》は書《しょ》とよばれます。

筆《ふで》を使《つか》って文字《もじ》を書《か》くんだな。

上手《じょうず》に字《じ》を書《か》けばいいのかなあ。

クイズ1

書道《しょどう》で使《つか》う筆《ふで》はどれ？

34ページを見《み》よう。

①

©PIXTA

②

©PIXTA

③

©PIXTA

④

©PIXTA

⑤

©PIXTA

クイズ 2

すずりの材料《ざいりょう》としてよく使《つか》われるものは？

35ページを見《み》よう。

©PIXTA

1 炭《すみ》

2 石《いし》

3 ガラス

クイズ 3

一文字《ひともじ》に、点《てん》、はらい、横画《よこかく》、縦画《たてかく》などの点画《てんかく》の書《か》き方《かた》の8つの基本《きほん》がすべてふくまれている漢字《かんじ》はどれ？

42ページを見《み》よう。

1 永

2 玉

3 字

書道《しょどう》の道具《どうぐ》を探検《たんけん》！

書道《しょどう》で使《つか》う、筆《ふで》、紙《かみ》、すみ、すずりは、「文房四宝《ぶんぼうしほう》」とよばれます。

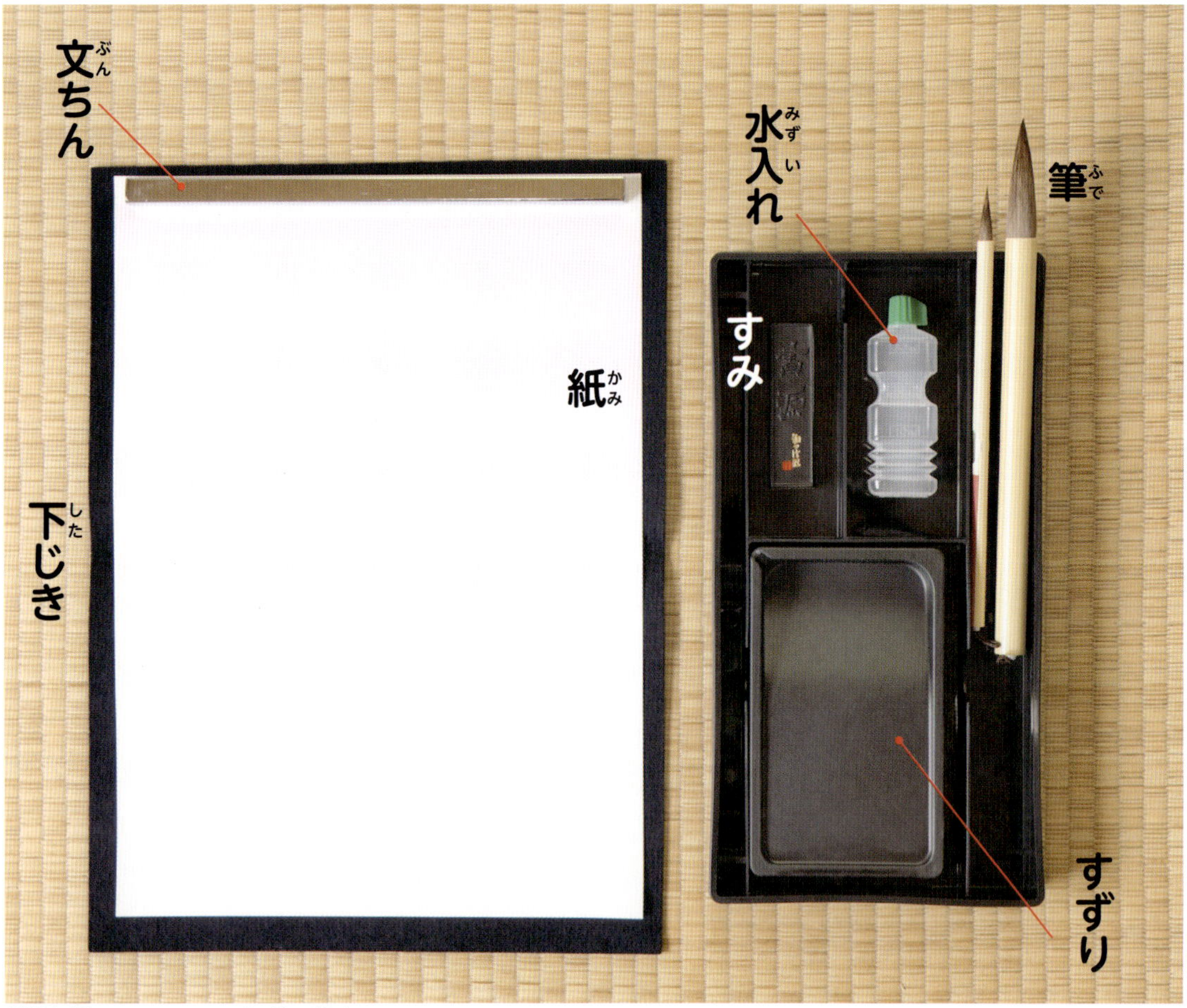

文房四宝《ぶんぼうしほう》をはじめとする書道《しょどう》の道具《どうぐ》。 ©PIXTA

さまざまな種類《しゅるい》の筆《ふで》。大《おお》きさによって、大筆《おおふで》、中筆《なかふで》、小筆《こふで》（細筆《ほそふで》）などに分《わ》けられる。 ©PIXTA

筆《ふで》

書道《しょどう》で使《つか》う筆《ふで》は、動物《どうぶつ》の毛《け》を束《たば》ねて竹《たけ》の筒《つつ》の先《さき》につけたものです。書《か》きたい文字《もじ》の大《おお》きさや線《せん》の太《ふと》さによって、筆《ふで》を選《えら》びます。

ミニ情報　書道《しょどう》の筆《ふで》の穂《ほ》（先《さき》の部分《ぶぶん》）は、主《おも》に動物《どうぶつ》の毛《け》でつくられる。うさぎ、たぬき、しか、羊《ひつじ》、馬《うま》、ねこ、いたち、てん、ねずみ、きつねなどの毛《け》を使《つか》っている筆《ふで》もある。

紙《かみ》

紙《かみ》の種類《しゅるい》は多《おお》く、紙《かみ》によって厚《あつ》さや色《いろ》、にじみ方《かた》などがちがいます。江戸時代《えどじだい》までは、コウゾやミツマタという植物《しょくぶつ》のせんいからつくる紙《かみ》(和紙《わし》)が使《つか》われていました。現在《げんざい》よく使《つか》われる半紙《はんし》の多《おお》くは、パルプ(木材《もくざい》からとった植物《しょくぶつ》せんい)が原料《げんりょう》です。昔《むかし》の「延紙《のべがみ》」という和紙《わし》を半分《はんぶん》にしたことから半紙《はんし》とよぶという説《せつ》があります。

和紙《わし》をつくる様子《ようす》。 ©PIXTA

すずり

平《たい》らな部分《ぶぶん》ですみをすり、くぼんだ部分《ぶぶん》に墨液《ぼくえき》をためておきます。すずりに適《てき》した石《いし》を選《えら》んで、切《き》ってほった後《のち》、砥石《といし》でみがいてつくります。

©PIXTA

土佐《とさ》すずり(高知《こうち》)、雨畑《あめはた》すずり(山梨《やまなし》)、雄勝《おがつ》すずり(宮城《みやぎ》)、赤間《あかま》すずり(山口《やまぐち》)が知《し》られる。中国《ちゅうごく》のものでは、端渓硯《たんけいけん》が有名《ゆうめい》。

©PIXTA

水《みず》を数滴《すうてき》落《お》として、平《たい》らな部分《ぶぶん》でゆっくりすべらせるようにすみをする。

©PIXTA

彫刻《ちょうこく》をほどこしたすずり。

すみ

松《まつ》や菜種油《なたねあぶら》を燃《も》やしたときに出《で》るすすに、にかわ(動物《どうぶつ》の骨《ほね》などを煮《に》てコラーゲンやゼラチンなどを取《と》り出《だ》し、固《かた》めたもの)、香料《こうりょう》を混《ま》ぜ、型《かた》に入《い》れてぬき、かんそうさせてつくります。青《あお》みがかった青《あお》ずみ、茶《ちゃ》系《けい》の茶《ちゃ》ずみなどがあります。すみのすり加減《かげん》で、すみのこさを調節《ちょうせつ》できます。また、すみをすることで心《こころ》が落《お》ち着《つ》くといったよさもあります。

一方《いっぽう》で、すみをする時間《じかん》を省《はぶ》くために、明治時代《めいじじだい》に墨汁《ぼくじゅう》(墨液《ぼくえき》)がつくられ、現在《げんざい》もよく使《つか》われています。

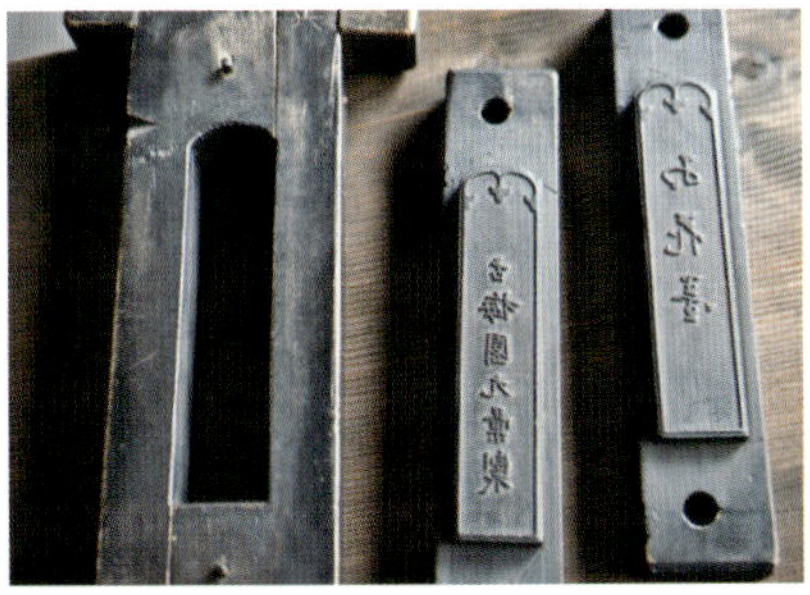

すみをつくるときに使《つか》う型《かた》。 ©PIXTA

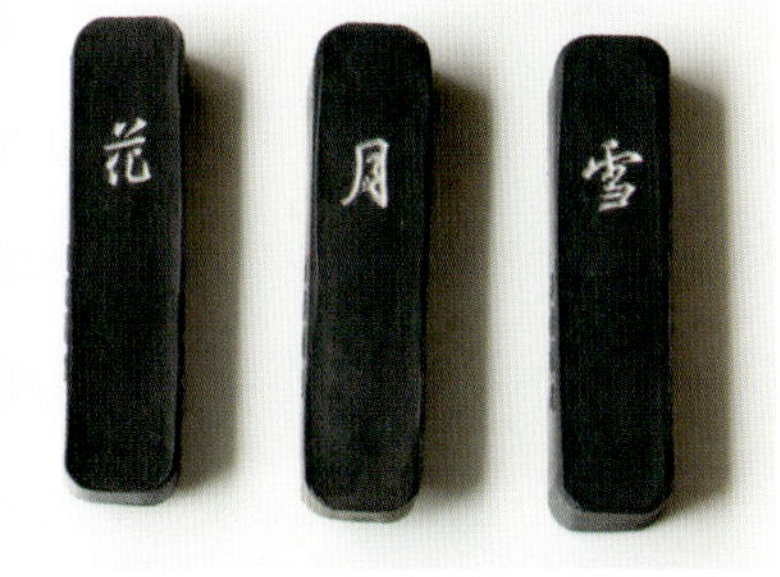

書道用《しょどうよう》のすみ。 ©PIXTA

型《かた》からぬいたすみを、かげ干《ぼ》ししてかんそうさせる。 ©PIXTA

ミニ情報

本《ほん》を読《よ》んだり、文章《ぶんしょう》を書《か》いたりする部屋《へや》を「文房《ぶんぼう》」という。文房具《ぶんぼうぐ》は文房《ぶんぼう》で使《つか》う道具《どうぐ》のこと。「文房四宝《ぶんぼうしほう》」とは、文房《ぶんぼう》で用《もち》いるために欠《か》かせない４つの道具《どうぐ》という意味《いみ》。

5つの書体《しょたい》を探検《たんけん》！

漢字《かんじ》は中国《ちゅうごく》で生《う》まれ、いくつかの書《か》き方《かた》（書体《しょたい》）も生《う》まれました。代表的《だいひょうてき》な5つの書体《しょたい》を紹介《しょうかい》します。

篆書《てんしょ》

約《やく》2200年前《ねんまえ》の中国《ちゅうごく》の秦《しん》の時代《じだい》より前《まえ》に使《つか》われた書体《しょたい》で、最《もっと》も古《ふる》い書体《しょたい》とされます。線《せん》の太《ふと》さが一定《いってい》で、文字《もじ》が縦長《たてなが》に書《か》かれます。

書道

日本《にっぽん》のパスポートの「日本国旅券《にっぽんこくりょけん》」の文字《もじ》は篆書《てんしょ》。 ©PIXTA

隷書《れいしょ》

中国《ちゅうごく》の漢《かん》の時代《じだい》に、正式《せいしき》な書体《しょたい》として使《つか》われました。字《じ》が平《ひら》べったく、点《てん》や画《かく》を角張《かくば》らせて書《か》きます。

書道

お札《さつ》の「壱万円《いちまんえん》」、「日本銀行券《にっぽんぎんこうけん》」の文字《もじ》は、隷書《れいしょ》。 ©PIXTA

草書《そうしょ》

隷書《れいしょ》をくずして生《う》まれたと考《かんが》えられています。点《てん》や画《かく》をかなり省略《しょうりゃく》しています。

書道

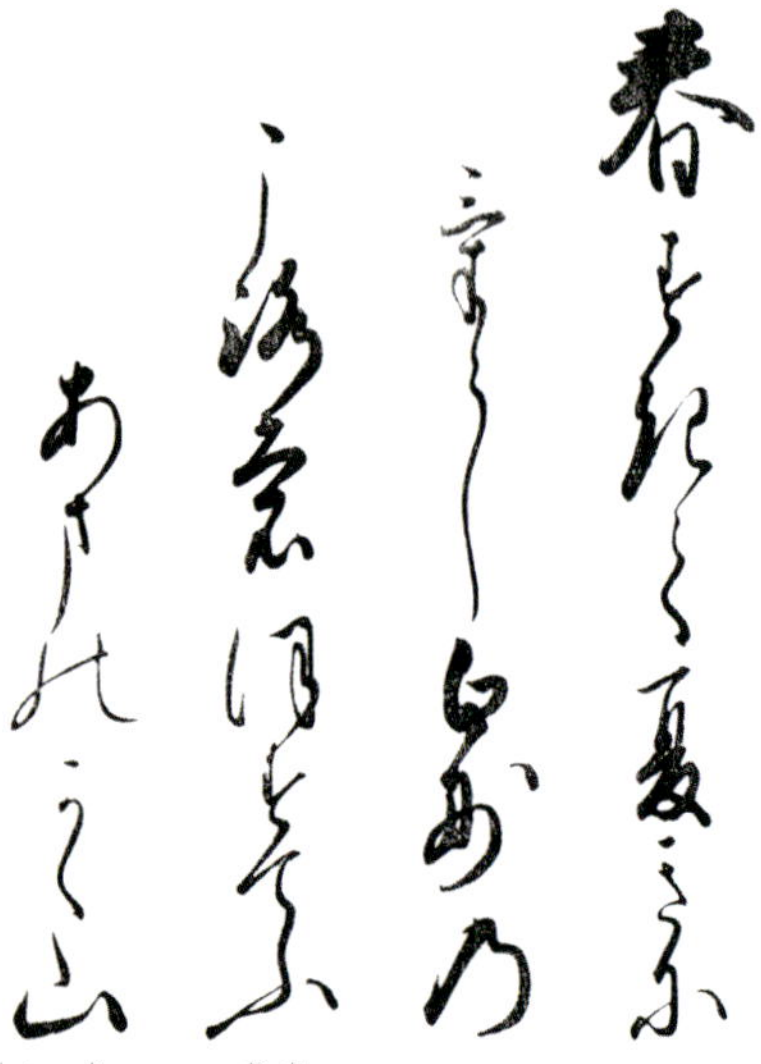
草書《そうしょ》で書《か》かれた和歌《わか》。 ©PIXTA

ミニ情報
漢字《かんじ》は3500年以上前《ねんいじょうまえ》に中国《ちゅうごく》で生《う》まれた。見《み》つかっている最古《さいこ》の漢字《かんじ》は、かめの甲《こう》らや動物《どうぶつ》の骨《ほね》に刻《きざ》まれていたので甲骨文字《こうこつもじ》とよばれる。甲骨文字《こうこつもじ》は絵《え》に近《ちか》い文字《もじ》だった。

行書《ぎょうしょ》

隷書《れいしょ》をもとにして、くずし方《かた》をおさえ、曲線的《きょくせんてき》に書《か》く書体《しょたい》です。古代中国《こだいちゅうごく》では、役所《やくしょ》などで公式《こうしき》な文書《ぶんしょ》を書《か》くときに使《つか》われました。点《てん》や画《かく》を続《つづ》けて書《か》くこともあります。

書道

行書《ぎょうしょ》が使《つか》われている駅名表示《えきめいひょうじ》。

©PIXTA

楷書《かいしょ》

隷書《れいしょ》を簡単《かんたん》にした書体《しょたい》です。行書《ぎょうしょ》とほぼ同《おな》じころにつくられ、唐《とう》の時代《じだい》に完成《かんせい》しました。一画一画《いっかくいっかく》を続《つづ》けずに書《か》きます。中国《ちゅうごく》では最《もっと》も長《なが》い間《あいだ》、正式《せいしき》な書体《しょたい》とされていました。現在《げんざい》の日本《にっぽん》では最《もっと》もよく使《つか》われます。

書道

楷書《かいしょ》で書《か》かれた文字《もじ》。

©PIXTA

筆文字《ふでもじ》を探《さが》そう！

身《み》の回《まわ》りで筆文字《ふでもじ》を探《さが》してみましょう。

うなぎ店《てん》の包《つつ》み紙《がみ》のユニークな筆文字《ふでもじ》。

©PIXTA

絵馬《えま》に刷《す》られた筆文字《ふでもじ》。

©PIXTA

そば店《てん》ののれん。「生楚者《きそば》」と書《か》いてある。

©PIXTA

ミニ情報　書体《しょたい》の１つ「楷書《かいしょ》」は、正書《せいしょ》、真書《しんしょ》ともよばれる。現在《げんざい》は、正式《せいしき》な文書《ぶんしょ》を書《か》くときの書体《しょたい》とされ、印刷用《いんさつよう》の文字《もじ》の書体《しょたい》にも楷書《かいしょ》が最《もっと》も多《おお》く使《つか》われている。

書《しょ》の達《たつ》人《じん》たちを探《たん》検《けん》！

平安時代《へいあんじだい》に書《しょ》の名手《めいしゅ》と言《い》われた人々《ひとびと》がいました。三筆《さんぴつ》、三蹟《さんせき》とよばれ、現在《げんざい》も尊敬《そんけい》されています。代表的《だいひょうてき》な書《しょ》とともに見《み》ていきましょう。

三筆《さんぴつ》

平安時代初期《へいあんじだいしょき》の空海《くうかい》、嵯峨天皇《さがてんのう》、橘逸勢《たちばなのはやなり》は、三筆《さんぴつ》とよばれます。中国《ちゅうごく》の書《しょ》をまねるのでなく、独自《どくじ》の表現《ひょうげん》方法《ほうほう》をとるようになりました。

空海《くうかい》

中国《ちゅうごく》(唐《とう》)で新《あたら》しい仏教《ぶっきょう》を学《まな》び、日本《にっぽん》に広《ひろ》めた僧《そう》。さまざまな書体《しょたい》の書《しょ》に優《すぐ》れていました。

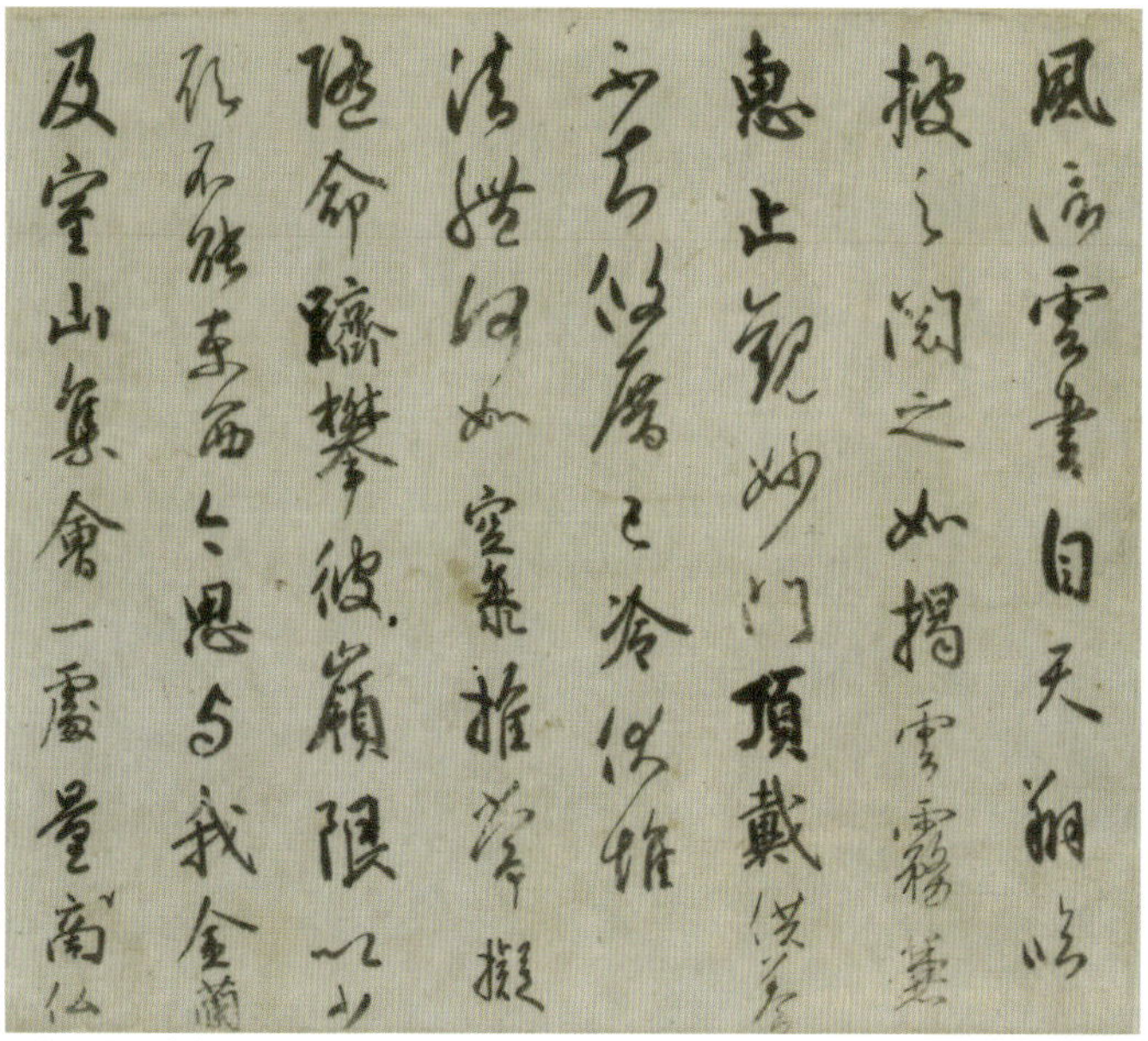

「風信帖《ふうしんじょう》」(部分《ぶぶん》)。「風信帖《ふうしんじょう》」は僧《そう》・最澄《さいちょう》に書《か》いた３通《つう》の手紙《てがみ》をまとめたもの。

所蔵：東寺　写真提供：便利堂

嵯峨天皇《さがてんのう》

第《だい》52代《だい》の天皇《てんのう》。漢詩《かんし》や書《しょ》を好《この》んだと言《い》われています。

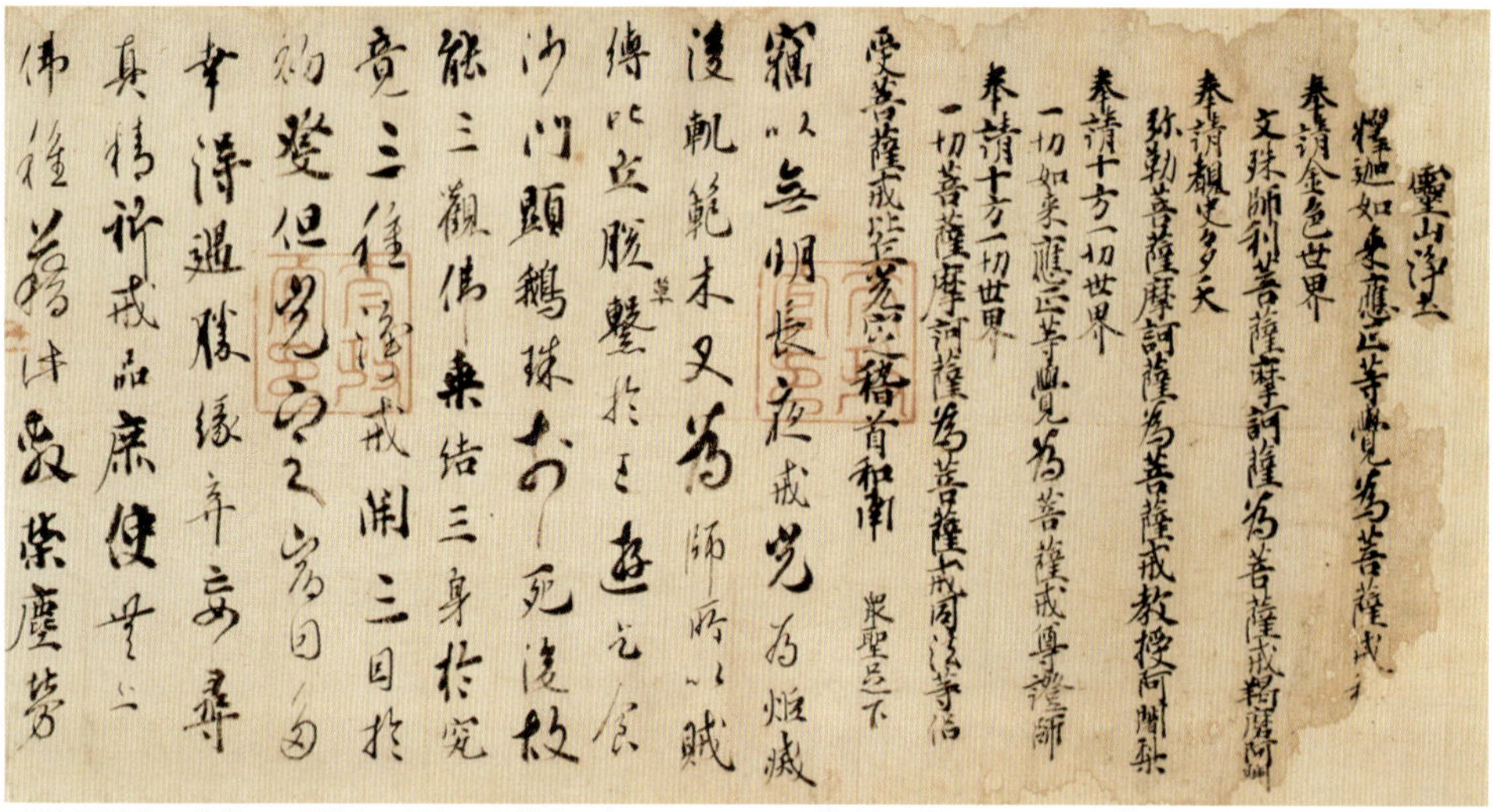

「光定戒牒《こうじょうかいちょう》」(部分《ぶぶん》)。最澄《さいちょう》の弟子《でし》の光定《こうじょう》に書《か》きあたえた、正式《せいしき》な僧《そう》としての身分証《みぶんしょう》(戒牒《かいちょう》)。嵯峨天皇《さがてんのう》は、空海《くうかい》とも交友《こうゆう》があり、空海《くうかい》から書《しょ》などを献上《けんじょう》されている。

比叡山延暦寺蔵

橘逸勢《たちばなのはやなり》

貴族《きぞく》、役人《やくにん》。中国《ちゅうごく》(唐《とう》)で書《しょ》を学《まな》び、隷《れい》書《しょ》に優《すぐ》れていたと伝《つた》えられています。

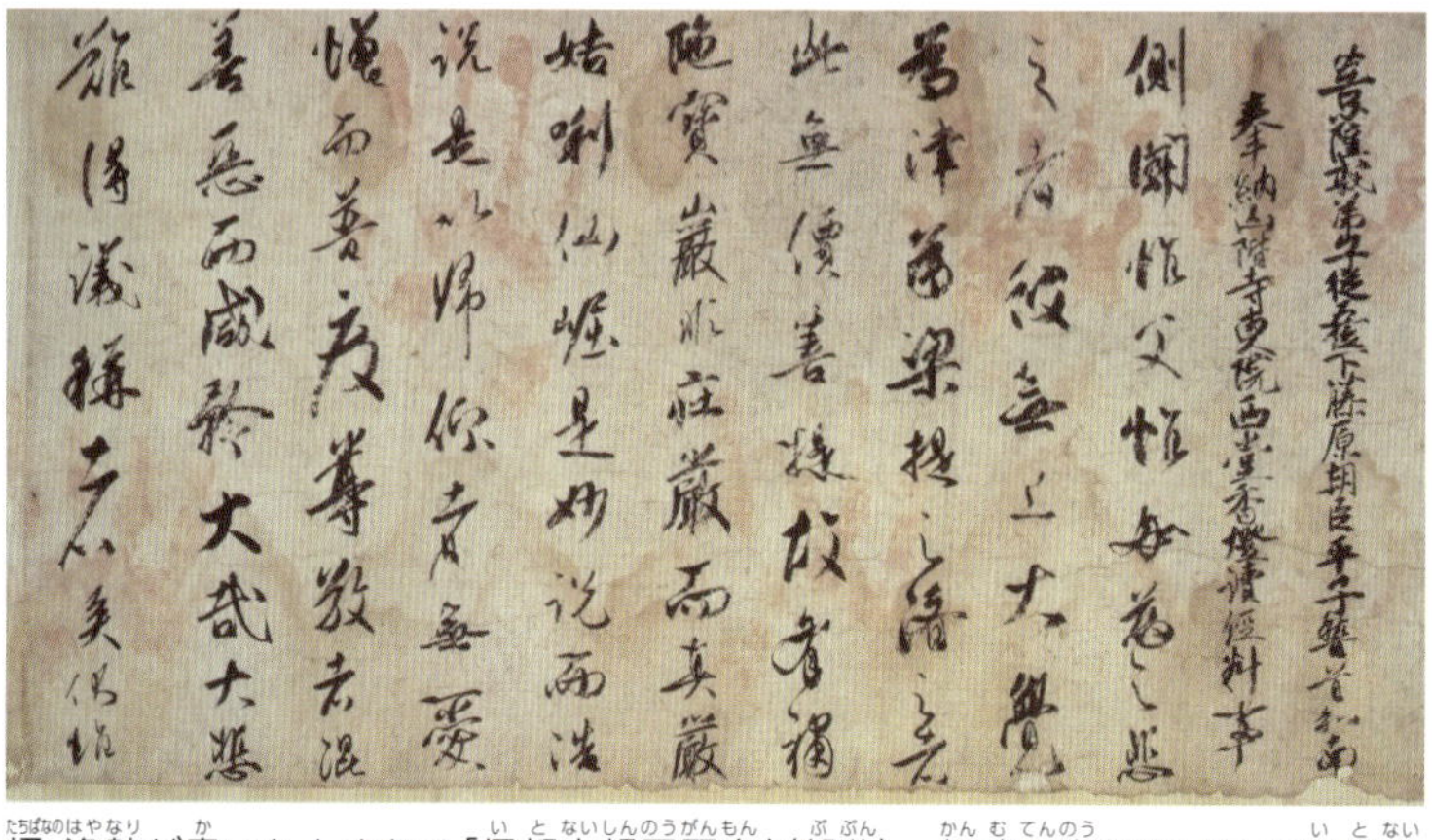

橘逸勢《たちばなのはやなり》が書《か》いたとされる「伊都内親王願文《いとないしんのうがんもん》」(部分《ぶぶん》)。桓武天皇《かんむてんのう》のむすめの伊都内《いとない》親王《しんのう》が母《はは》の遺産《いさん》を山階寺《やましなでら》(現《げん》・興福寺《こうふくじ》)に納《おさ》めた際《さい》に書《か》かれた。

宮内庁蔵

ミニ情報

ことわざの「弘法《こうぼう》にも筆《ふで》の誤《あやま》り」の弘法《こうぼう》は空海《くうかい》のことで、「名人《めいじん》でも時《とき》には失敗《しっぱい》することがある」という意味《いみ》。空海《くうかい》は、都《みやこ》の入《い》り口《ぐち》の応天門《おうてんもん》にかかげる額《がく》の文字《もじ》に点《てん》を１つ書《か》き忘《わす》れたという。

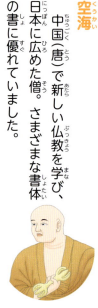

三蹟《さんせき》

三筆《さんぴつ》の時代《じだい》から約《やく》100年後《ねんご》の平安時代中期《へいあんじだいちゅうき》には、三蹟《さんせき》とよばれる小野道風《おののみちかぜ》、藤原佐理《ふじわらのすけまさ》、藤原行成《ふじわらのゆきなり》が活《かつ》やくしました。

小野道風《おののみちかぜ》

平安時代前期《へいあんじだいぜんき》〜中期《ちゅうき》の貴族《きぞく》。幼《おさな》いころから書《しょ》の才能《さいのう》に優《すぐ》れ、朝廷《ちょうてい》に仕《つか》えて多《おお》くの文書《ぶんしょ》を書《か》きました。

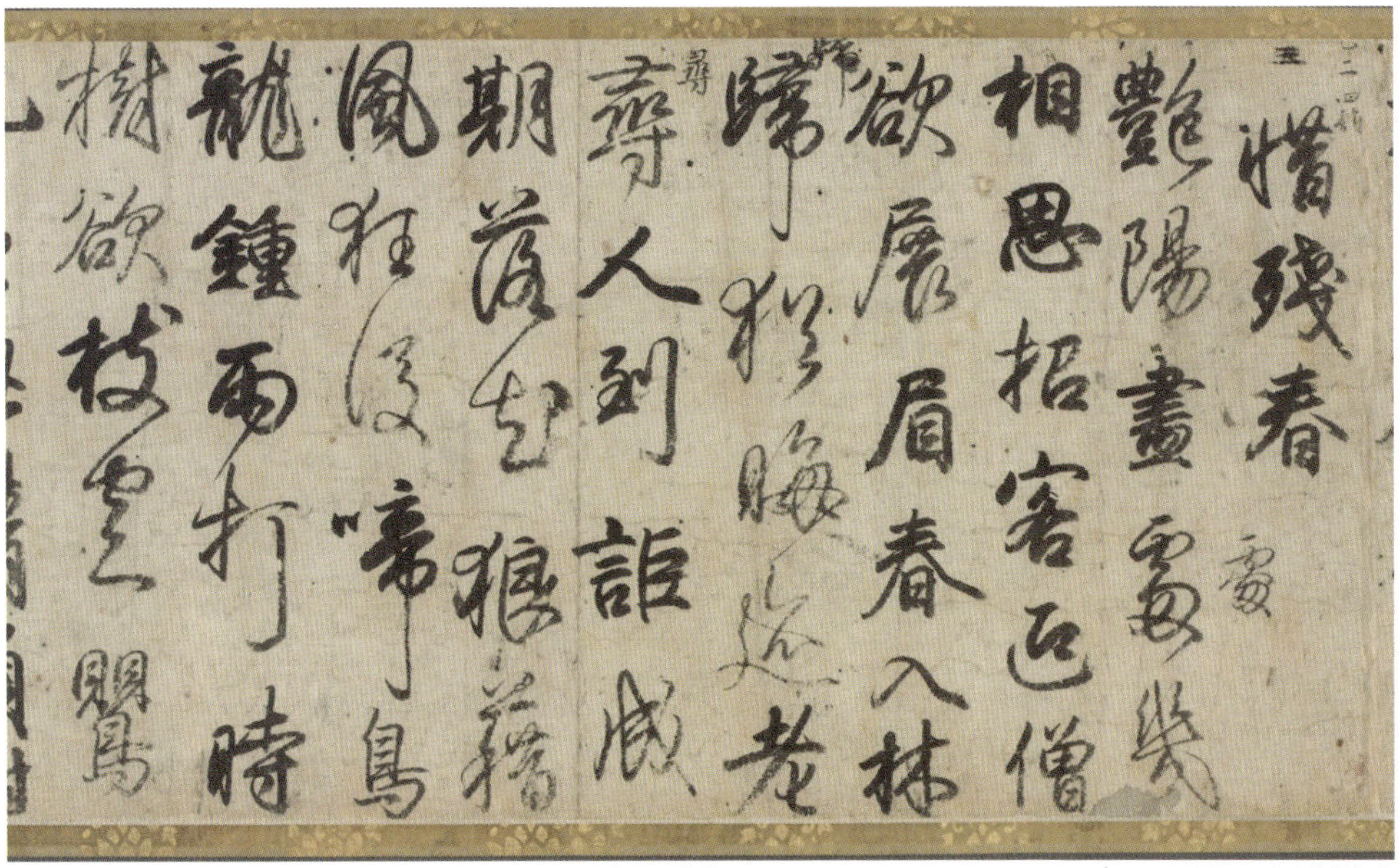

「屏風土代《びょうぶどだい》」(部分《ぶぶん》)。びょうぶに書《か》く漢詩《かんし》の下書《したが》き(土代《どだい》)。 皇居三の丸尚蔵館収蔵

藤原佐理《ふじわらのすけまさ》

平安時代中期《へいあんじだいちゅうき》の貴族《きぞく》。天皇《てんのう》が即位《そくい》するときの儀式《ぎしき》でびょうぶに文字《もじ》を書《か》く仕事《しごと》を3度《ど》命《めい》じられました。

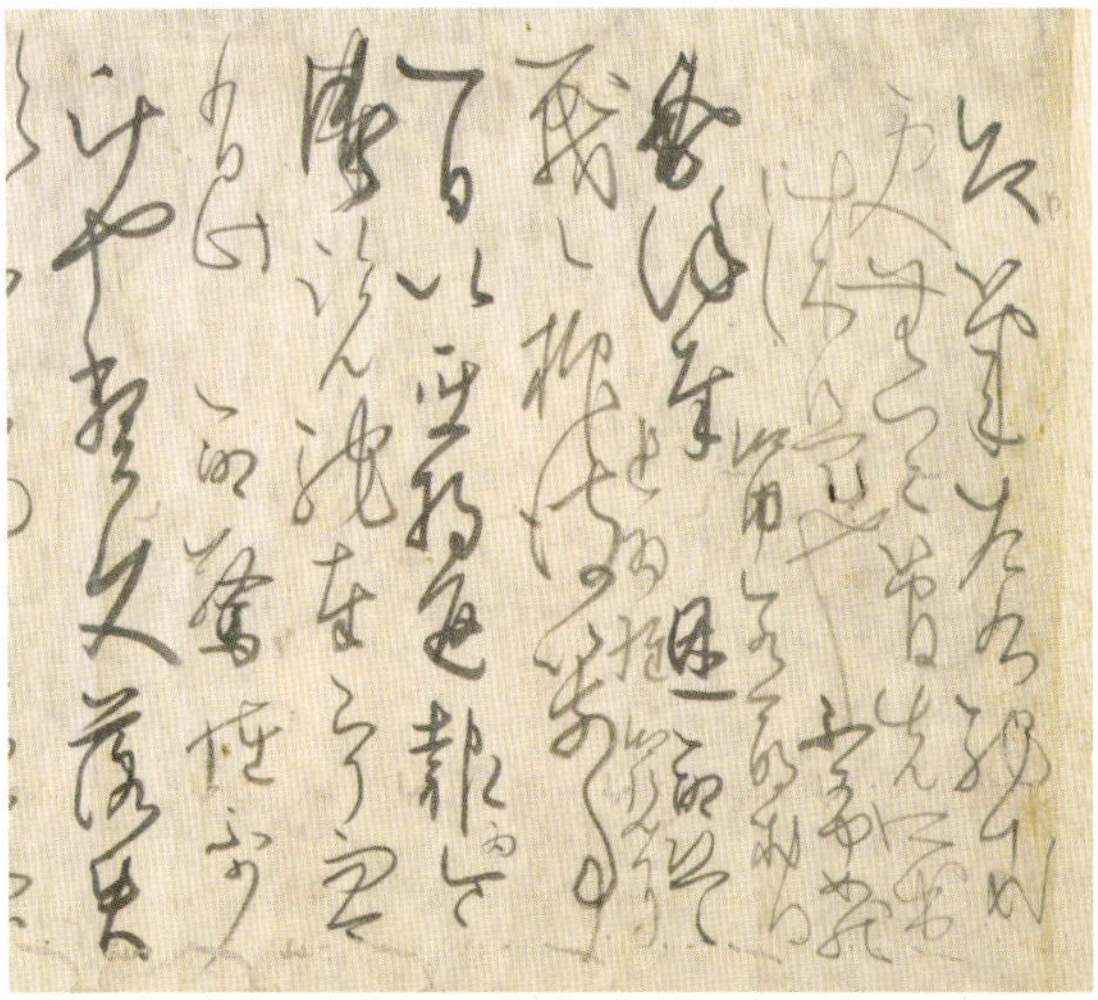

「恩命帖《おんめいじょう》」(部分《ぶぶん》)。宮中《きゅうちゅう》での儀式《ぎしき》に必要《ひつよう》な矢《や》が届《とど》かなかったことをおわびする手紙《てがみ》。 皇居三の丸尚蔵館収蔵

藤原行成《ふじわらのゆきなり》

平安時代中期《へいあんじだいちゅうき》の貴族《きぞく》。世尊寺流《せそんじりゅう》という流派《りゅうは》の祖《そ》とされます。

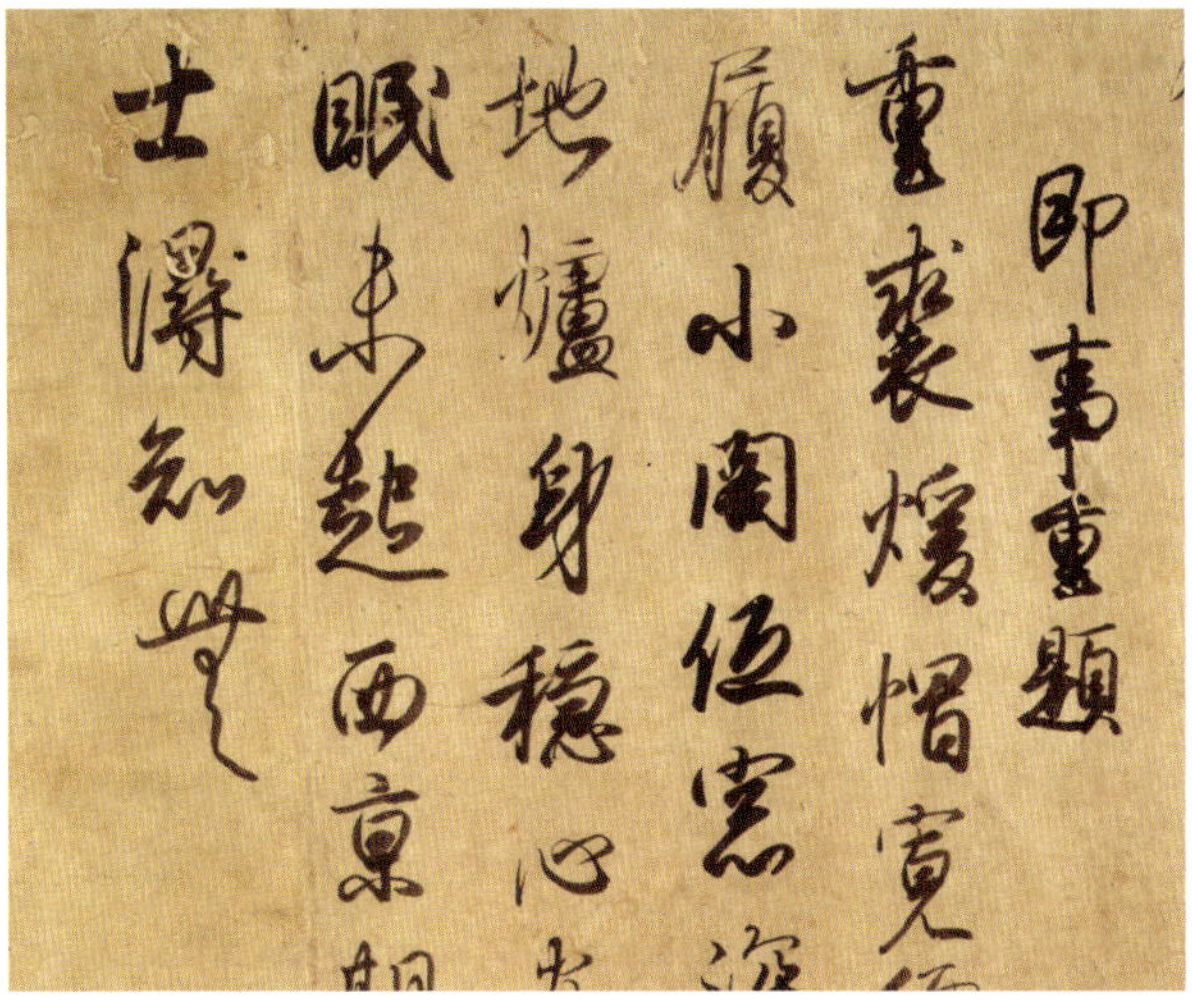

「白氏詩巻《はくししかん》」(部分《ぶぶん》)。中国《ちゅうごく》の詩人《しじん》、白居易《はくきょい》の詩《し》を書《か》いたもの。
東京国立博物館所蔵 Image: TNM Image Archives

「書聖《しょせい》」とよばれた王羲之《おうぎし》

4世紀《せいき》の中国《ちゅうごく》・東晋《とうしん》の時代《じだい》の役人《やくにん》だった王羲之《おうぎし》は、書《しょ》に優《すぐ》れ、書《しょ》を芸術《げいじゅつ》に高《たか》めたことから「書聖《しょせい》」とよばれています。その代表作《だいひょうさく》が「蘭亭序《らんていのじょ》」です。王羲之《おうぎし》の書《しょ》は、中国《ちゅうごく》でも日本《にっぽん》でも長《なが》く書《しょ》のお手本《てほん》とされました。

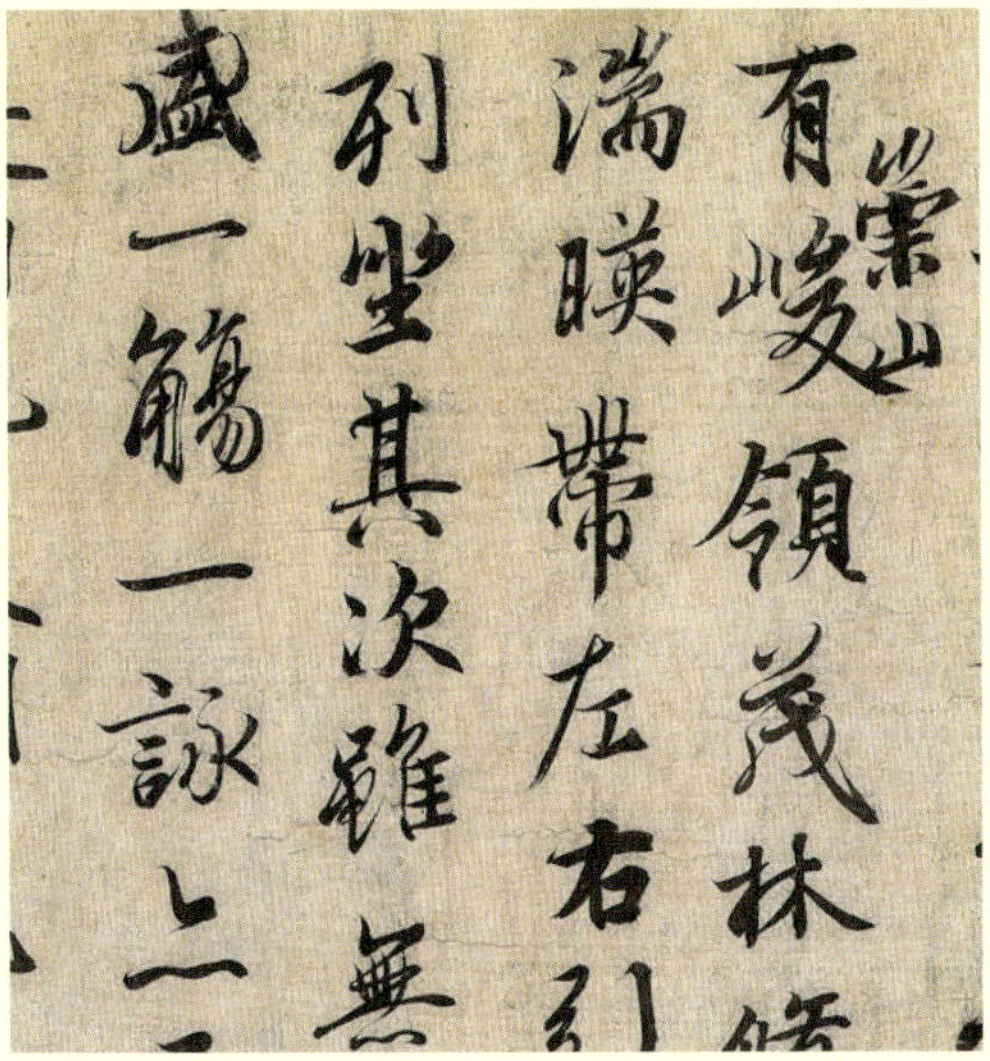

「蘭亭序《らんていのじょ》」(部分《ぶぶん》)。蘭亭《らんてい》で行《おこな》われたうたげでつくられた詩《し》を集《あつ》めた『蘭亭集《らんていしゅう》』の冒頭《ぼうとう》に書《か》かれた。王羲之《おうぎし》の書《しょ》は、すべて後《のち》に書写《しょしゃ》されたもので、本人《ほんにん》が書《か》いたものは残《のこ》っていない。 写真:Panorama Media (Beijing)/ アフロ

ミニ情報

小野道風《おののみちかぜ》が書《しょ》の修業中《しゅぎょうちゅう》に、カエルが、失敗《しっぱい》してもあきらめずにやなぎの小枝《こえだ》に何度《なんど》も飛《と》びつく様子《ようす》を見《み》て、努力《どりょく》を続《つづ》けることの大切《たいせつ》さに気《き》づいたという話《はなし》が伝《つた》わっている。

書道《しょどう》の歴史《れきし》を探検《たんけん》！

中国《ちゅうごく》から漢字《かんじ》が伝《つた》わって、日本《にっぽん》でも書《しょ》を書《か》くことが始《はじ》まりました。平安時代《へいあんじだい》には、漢字《かんじ》をもとにしてかな文字《もじ》がつくられ、書《しょ》にも変化《へんか》が生《う》まれました。

中国《ちゅうごく》から漢字《かんじ》が伝《つた》わる

中国《ちゅうごく》から漢字《かんじ》が伝《つた》わったのは、4～5世紀《せいき》のことです。やがて、仏教《ぶっきょう》のお経《きょう》を写《うつ》すときに筆《ふで》で漢字《かんじ》を書《か》くようになりました。その後《ご》、中国《ちゅうごく》からお経《きょう》や書《しょ》がたくさん伝《つた》わり、それをまねて、中国風《ちゅうごくふう》の書《しょ》が書《か》かれました。

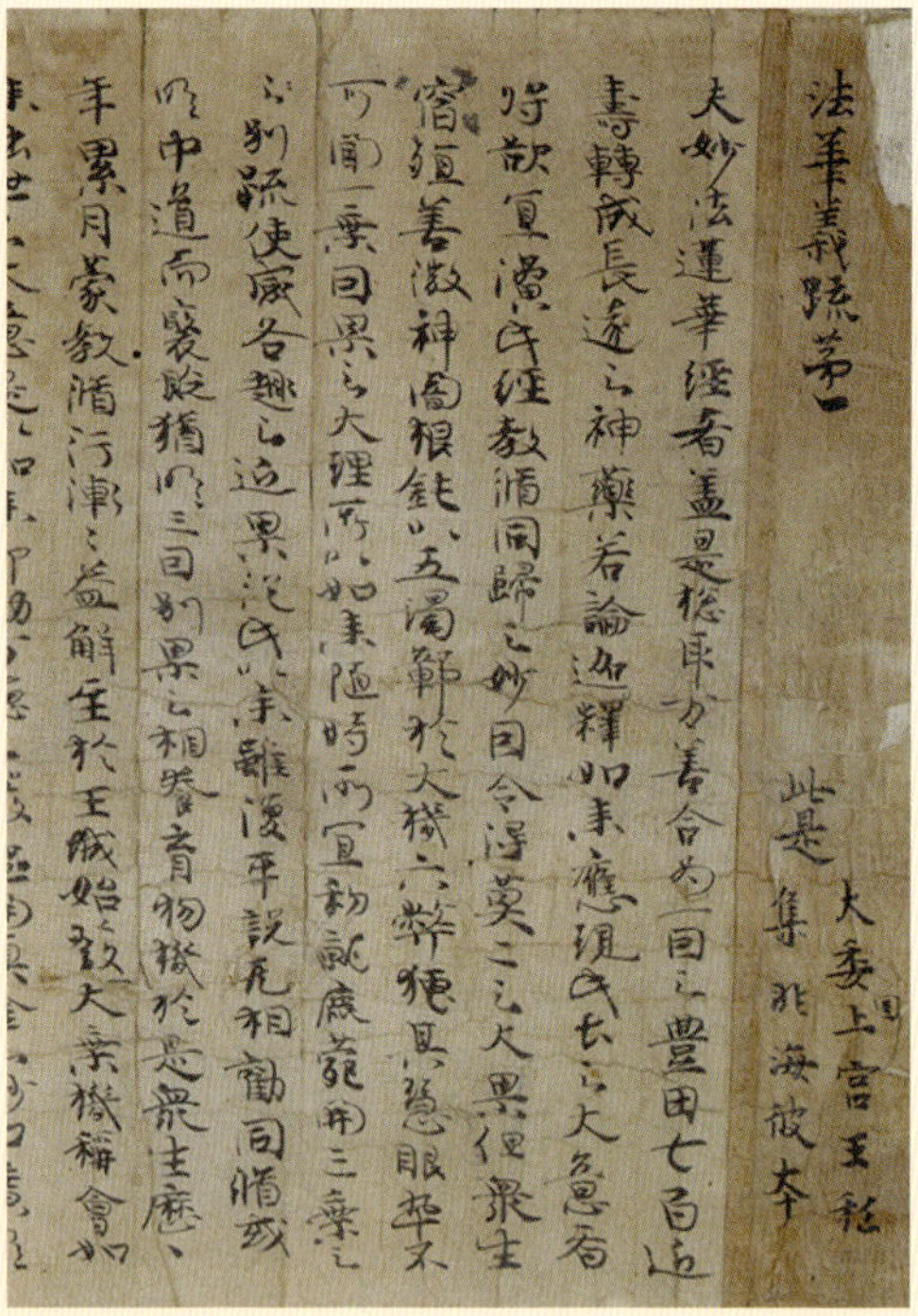

宮内庁蔵

聖徳太子《しょうとくたいし》(厩戸皇子《うまやどのおうじ》)が書《か》いたとされる「三経義疏《さんぎょうぎしょ》」(部分《ぶぶん》)。すみと筆《ふで》で紙《かみ》に書《か》いた書《しょ》では、現在日本《げんざいにっぽん》に残《のこ》る最古《さいこ》のもの。

日本風《にっぽんふう》の書《しょ》が書《か》かれる

平安時代初期《へいあんじだいしょき》に、三筆《さんぴつ》(→38ページ)が活《かつ》やくしました。このころから日本風《にっぽんふう》の書《か》き方《かた》(和様《わよう》)が出《で》てきました。その後《ご》、三蹟《さんせき》(→39ページ)が活《かつ》やくし、和様《わよう》の書《しょ》を確立《かくりつ》しました。

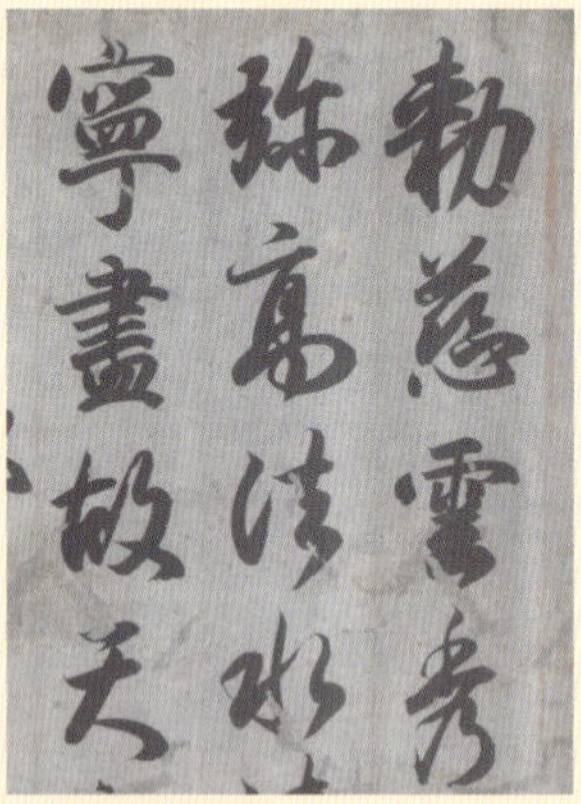

東京国立博物館所蔵
Image: TNM Image Archives

小野道風《おののみちかぜ》「智証大師諡号勅書《ちしょうだいししごうちょくしょ》」(部分《ぶぶん》)。和様《わよう》の書《しょ》は筆《ふで》に角度《かくど》をつけて書《か》くので曲線部分《きょくせんぶぶん》が太《ふと》くなる。また、字《じ》に丸《まる》みがつく。

かな文字《もじ》の書《しょ》が書《か》かれる

奈良時代《ならじだい》ごろまで、日本《にっぽん》の言葉《ことば》の音《おん》を表《あらわ》すときは、その音《おん》に似《に》た読《よ》みの漢字《かんじ》をあてて使《つか》っていました(万葉《まんよう》がな)。その後《ご》、平安時代《へいあんじだい》初期《しょき》にかな文字《もじ》がつくられ、貴族《きぞく》の女性《じょせい》が好《この》んで使《つか》うようになりました。

平安時代中期《へいあんじだいちゅうき》から後期《こうき》にかけて、かな文字《もじ》の書《しょ》がさかんに書《か》かれるようになりました。

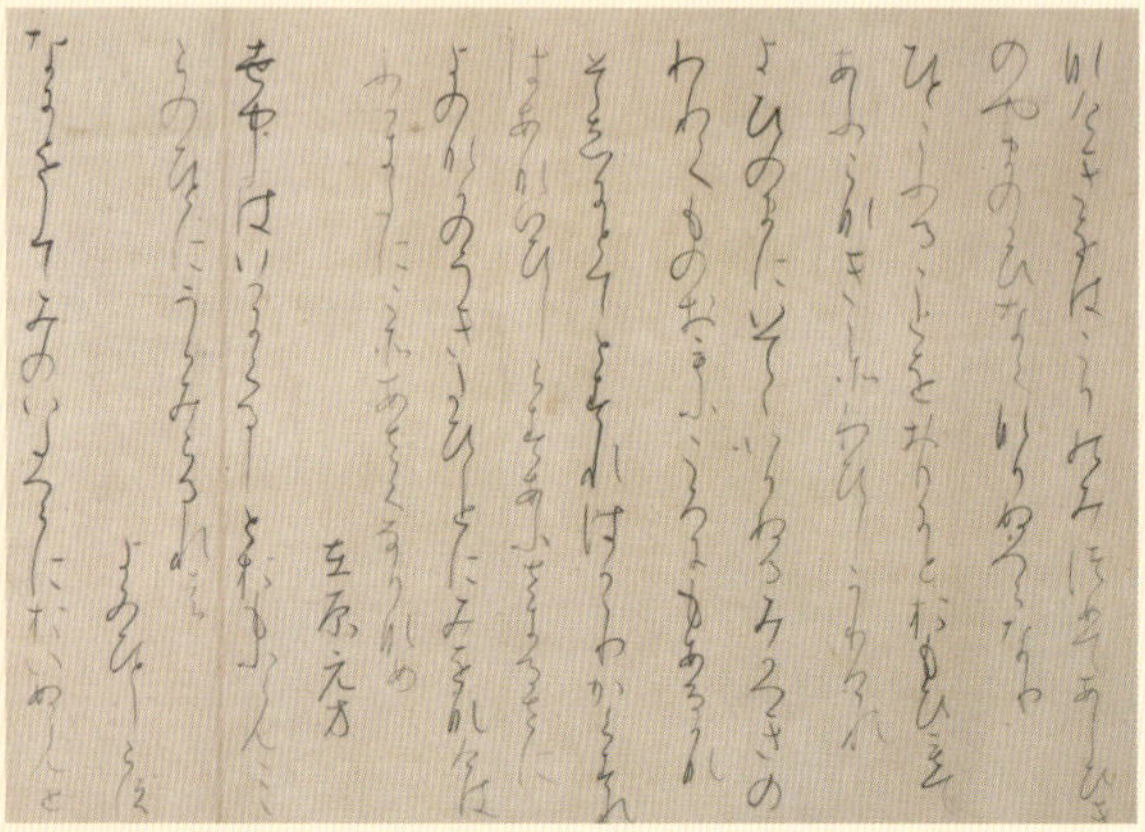

東京国立博物館所蔵　Image: TNM Image Archives

紀貫之《きのつらゆき》(伝《でん》)「古今和歌集《こきんわかしゅう》　巻第十九《まきだいじゅうく》(高野《こうや》切《ぎれ》)」(部分《ぶぶん》)。平安時代中期《へいあんじだいちゅうき》の書《しょ》で、和歌《わか》をひらがなで書《か》いている。

ミニ情報　かな文字《もじ》のひらがなとかたかなは、日本《にっぽん》で生《う》まれた文字《もじ》。ひらがなは、漢字《かんじ》の草書体《そうしょたい》をさらに簡略《かんりゃく》化《か》したもの。かたかなは、漢字《かんじ》の一部《いちぶ》を使《つか》ったもの。

漢字《かんじ》とかな文字《もじ》の交《ま》じった書《しょ》が書《か》かれる

鎌倉時代《かまくらじだい》には、漢字《かんじ》とかな文字《もじ》の交《ま》じった書《しょ》が書《か》かれるようになりました。室町時代《むろまちじだい》になると、世尊寺流《せそんじりゅう》、法性寺流《ほっしょうじりゅう》、青蓮院流《しょうれんいんりゅう》、持明院流《じみょういんりゅう》といったいろいろな流派《りゅうは》が生《う》まれました。また、書《しょ》を床《とこ》の間《ま》にかざって鑑賞《かんしょう》するようになりました。

床《とこ》の間《ま》に書《しょ》をかざる文化《ぶんか》は、室町時代《むろまちじだい》に生《う》まれた。

©PIXTA

寛永《かんえい》の三筆《さんぴつ》が活《かつ》やく

江戸時代初期《えどじだいしょき》に近衛信尹《このえのぶただ》、本阿弥光悦《ほんあみこうえつ》、松花堂昭乗《しょうかどうしょうじょう》の寛永《かんえい》の三筆《さんぴつ》とよばれる人《ひと》たちが活《かつ》やくし、個性的《こせいてき》な書《しょ》を生《う》み出《だ》しました。

本阿弥光悦《ほんあみこうえつ》「鶴下絵三十六歌仙和歌巻《つるしたえさんじゅうろっかせんわかかん》」（部分《ぶぶん》）。

京都国立博物館所蔵

唐様《からよう》がさかんになる

江戸時代《えどじだい》には、中国《ちゅうごく》で生《う》まれた儒学《じゅがく》を幕府《ばくふ》が保護《ほご》したため、書《しょ》も中国風《ちゅうごくふう》の書《か》き方《かた》（唐様《からよう》）が好《この》まれるようになりました。

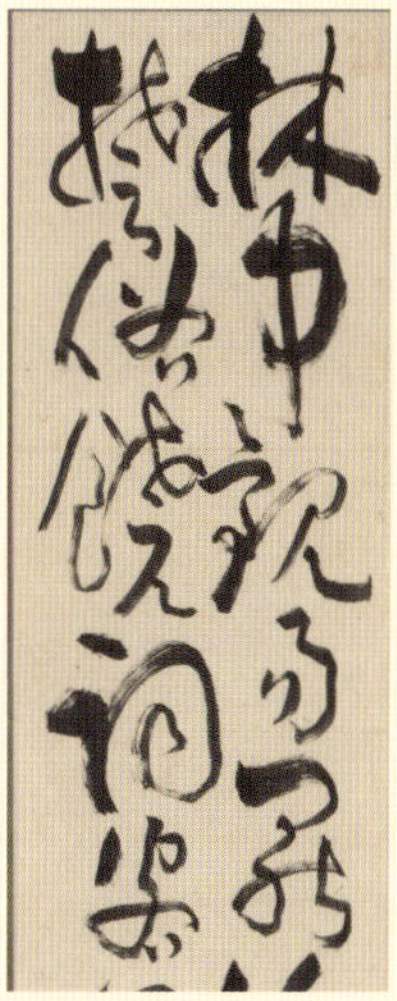

池大雅《いけのたいが》「唐詩五言絶句《とうしごごんぜっく》」（部分《ぶぶん》）。江戸時代中期《えどじだいちゅうき》～後期《こうき》。唐様《からよう》を代表《だいひょう》する書《しょ》で、ユニークな書《か》き方《かた》をしている。

東京国立博物館所蔵　Image: TNM Image Archives

現代書道《げんだいしょどう》へ発展《はってん》する

明治時代以降《めいじじだいいこう》は、新《あたら》しい表現《ひょうげん》による書《しょ》が書《か》かれるようになりました。

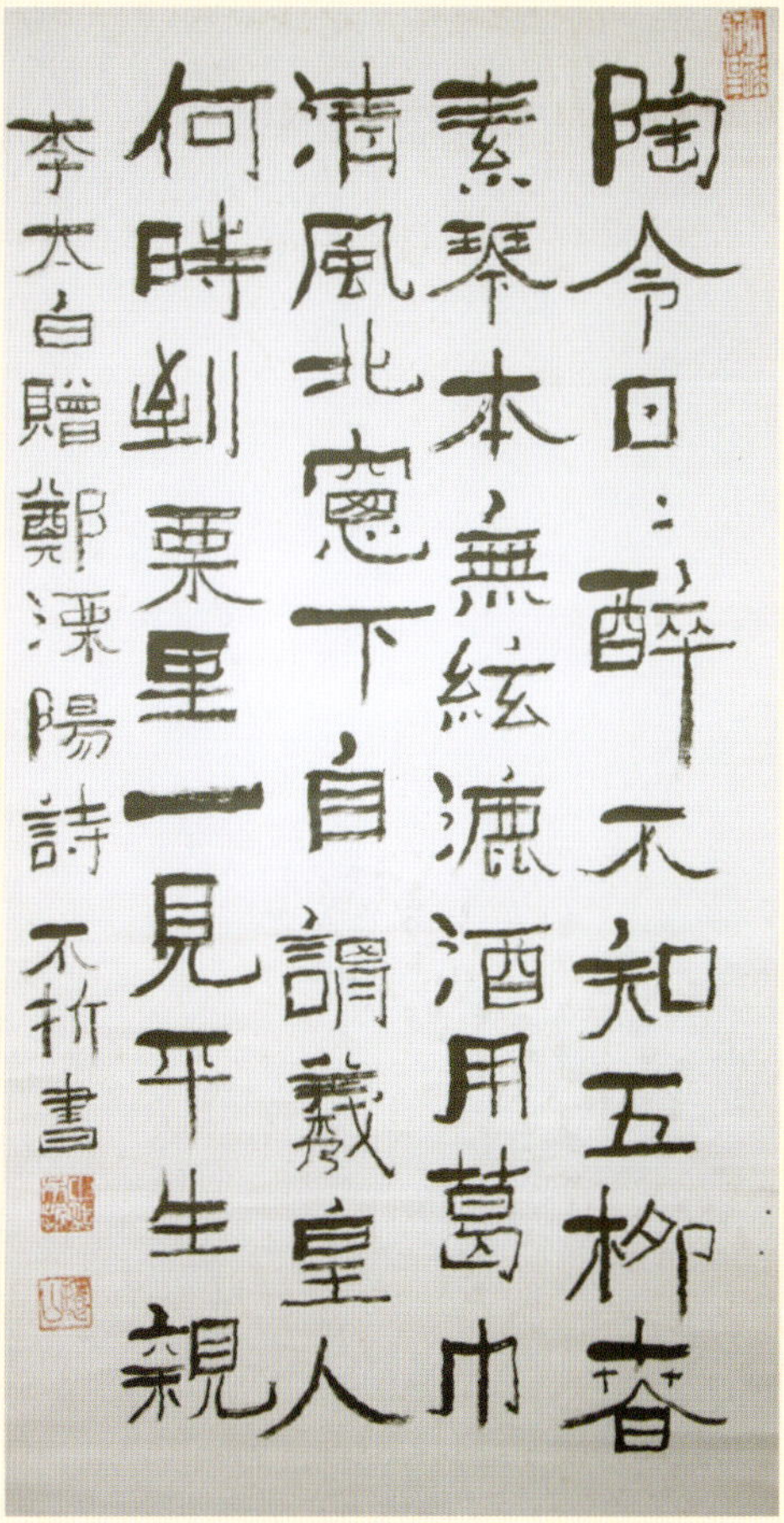

明治《めいじ》～昭和時代《しょうわじだい》に活《かつ》やくした中村不折《なかむらふせつ》の「隷書李白五言律詩《れいしょりはくごごんりっし》『戯贈鄭溧陽《ぎぞうていりつよう》』軸《じく》」。洋画家《ようがか》でもあった中村《なかむら》は書《しょ》にも才能《さいのう》を発揮《はっき》した。隷書《れいしょ》と楷書《かいしょ》を混《ま》ぜたような書体《しょたい》の書《しょ》が多《おお》い。

台東区立書道博物館蔵

ミニ情報　江戸時代《えどじだい》の子《こ》どもたちは、寺子屋《てらこや》とよばれる学校《がっこう》で「読《よ》み・書《か》き・そろばん」などを習《なら》い、筆《ふで》で文《も》字《じ》を書《か》いていた。江戸時代《えどじだい》の都市部《としぶ》の読《よ》み書《か》きができる人《ひと》の割合《わりあい》は、世界的《せかいてき》にも高《たか》かったとされる。

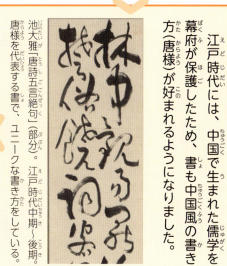

書《しょ》を楽《たの》しもう！

永字八法《えいじはっぽう》にチャレンジ！

楷書《かいしょ》には、八種《はっしゅ》の基本的《きほんてき》な点画《てんかく》があるとされています。その八種《はっしゅ》がすべてふくまれている「永《えい》」の字《じ》の運筆法《うんぴつほう》を「永《えい》字八法《じはっぽう》」といいます。

側《そく》（点《てん》）
左上《ひだりうえ》から右下《みぎした》にななめに筆《ふで》を落《お》としておさえる。

勒《ろく》（横画《よこかく》）
ななめに筆《ふで》をおろし、左《ひだり》から右《みぎ》に向《む》かって筆《ふで》を動《うご》かし、しっかり止《と》める。

努《ど》（縦画《たてかく》）
ななめに筆《ふで》をおろし、上《うえ》から下《した》に向《む》かってまっすぐに筆《ふで》を動《うご》かし、しっかり止《と》める。

啄《たく》（短《みじか》い左《ひだり》はらい）
右上《みぎうえ》から左下《ひだりした》に向《む》かって一気《いっき》にはらう。

策《さく》（すくい上《あ》げ）
左《ひだり》から右上《みぎうえ》に筆《ふで》を動《うご》かし、最後《さいご》は止《と》めないですっと筆《ふで》をぬく。

磔《たく》（右《みぎ》はらい）
ななめに軽《かる》く筆《ふで》をおろし、右下《みぎした》に向《む》かってゆっくり筆《ふで》を動《うご》かす。最後《さいご》に止《と》まって線《せん》を太《ふと》く書《か》き、右下《みぎした》へはらう。

趯《てき》（はね）
努《ど》の最後《さいご》のところで筆《ふで》をしっかり止《と》めて、左《ひだり》上《うえ》におすようにはねる。

掠《りゃく》（左《ひだり》はらい）
ななめに筆《ふで》を入《い》れて左下《ひだりした》へ動《うご》かし、少《すこ》しずつ力《ちから》をぬいてゆっくりはらう。

ミニ情報
筆《ふで》を紙《かみ》におろすときの動《うご》きを「始筆《しひつ》（起筆《きひつ》）」、続《つづ》いて筆《ふで》を動《うご》かすときの動《うご》きを「送筆《そうひつ》」、筆《ふで》を紙《かみ》からはなすときの動《うご》きを「終筆《しゅうひつ》（収筆《しゅうひつ》）」という。

書《しょ》を鑑賞《かんしょう》しよう

書《しょ》を鑑賞《かんしょう》するのも書道《しょどう》の楽《たの》しみのひとつです。さまざまな作品《さくひん》にふれてみましょう。

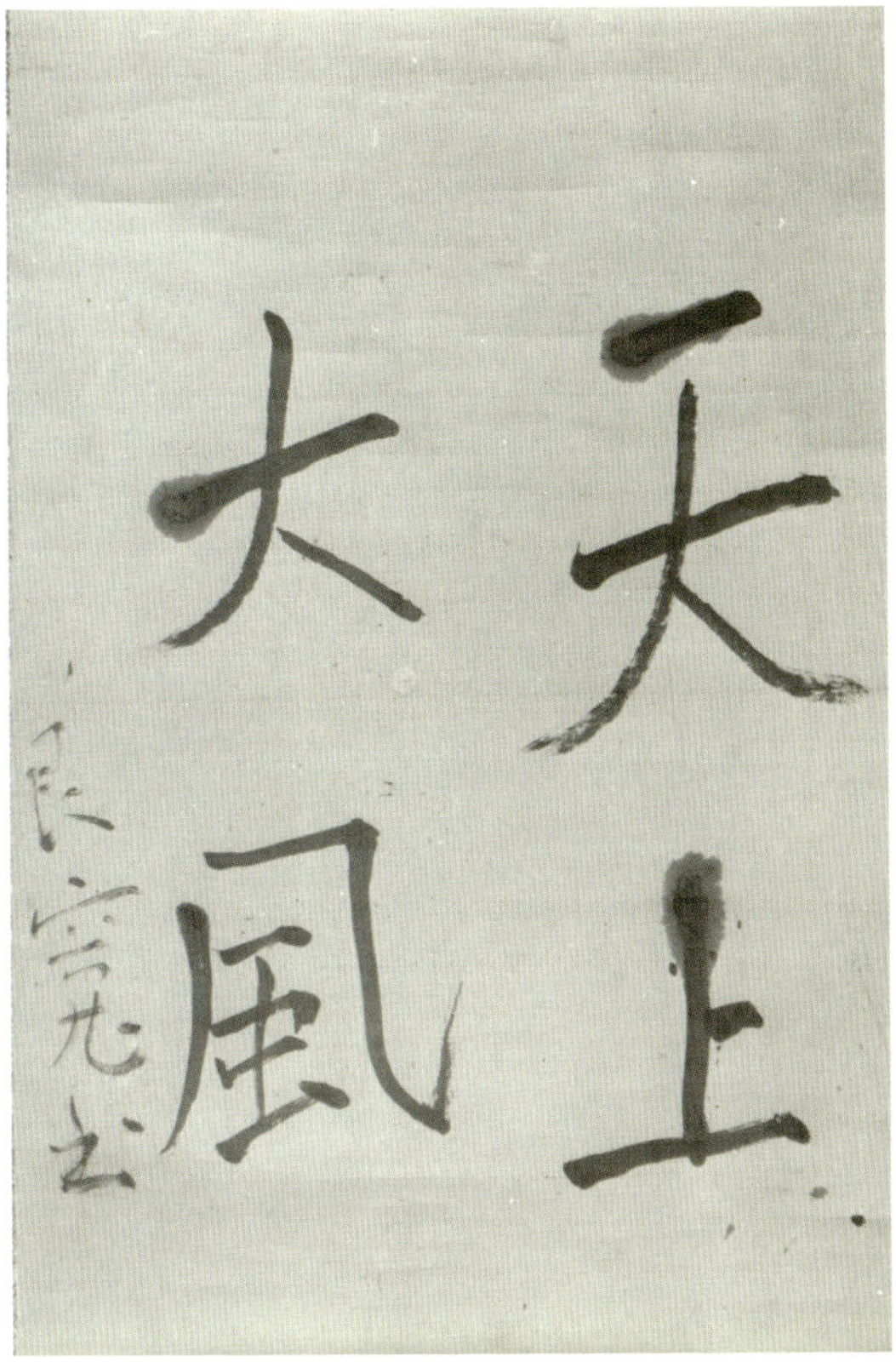

江戸時代後期《えどじだいこうき》の僧《そう》、良寛《りょうかん》の書《しょ》。　画像提供：良寛記念館

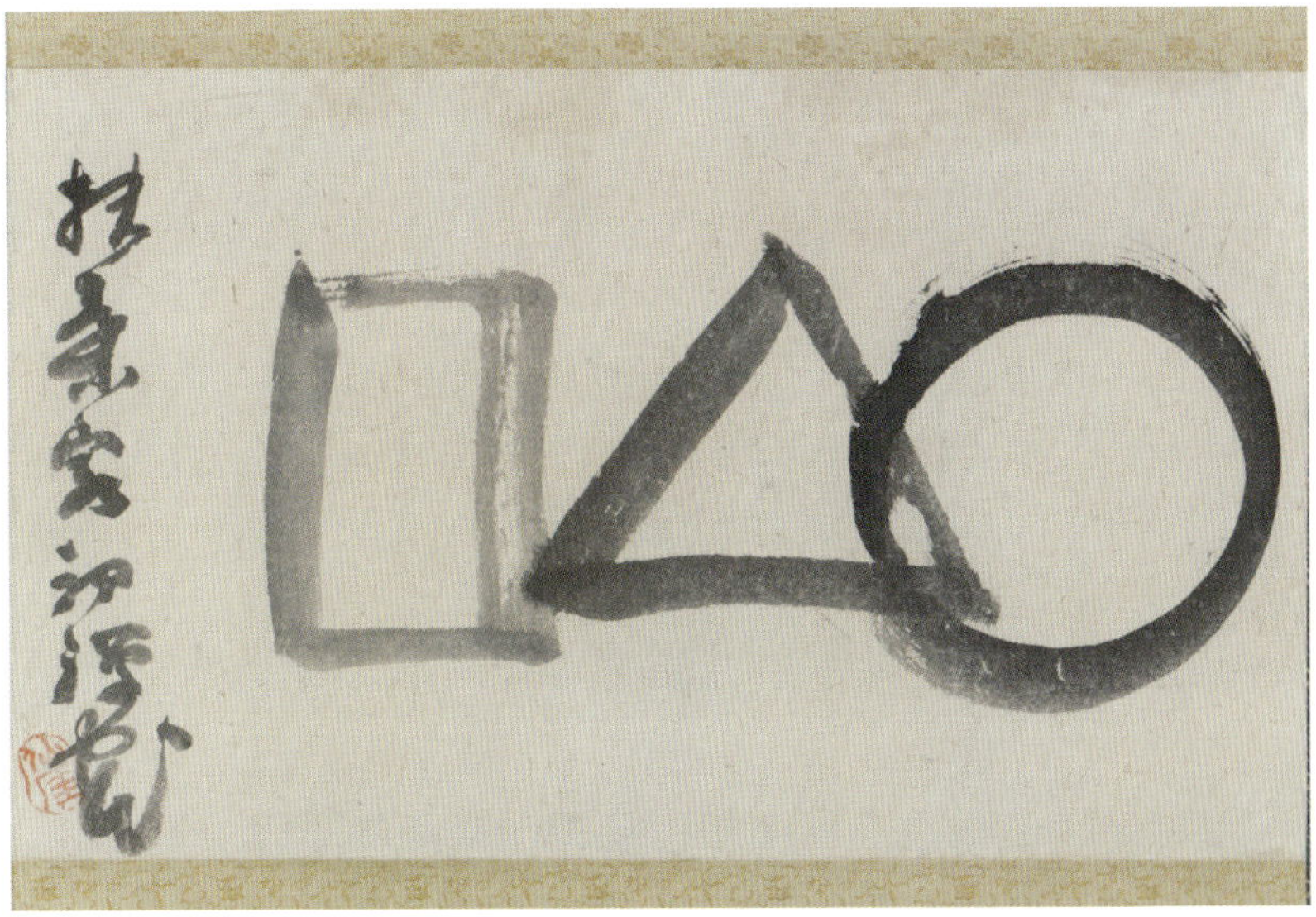

江戸時代後期《えどじだいこうき》の僧《そう》、仙厓義梵《せんがいぎぼん》の書《しょ》。　○△□　仙厓　出光美術館蔵

年中行事《ねんちゅうぎょうじ》と書道《しょどう》

新《あたら》しい年《とし》の始《はじ》まりに、筆《ふで》で文字《もじ》を書《か》く行事《ぎょうじ》を「書《か》き初《ぞ》め」といいます　一年《いちねん》の始《はじ》まりに、文字《もじ》が上達《じょうたつ》することを願《ねが》ったり、その年《とし》の目標《もくひょう》や決意《けつい》を書《か》いたりする目的《もくてき》で、現在《げんざい》も行《おこな》われています。

七夕《たなばた》には、詩歌《しいか》を書《か》いた短冊《たんざく》や色紙《しきし》をささかざりにつけて、書《しょ》の上達《じょうたつ》を願《ねが》う習慣《しゅうかん》があります。

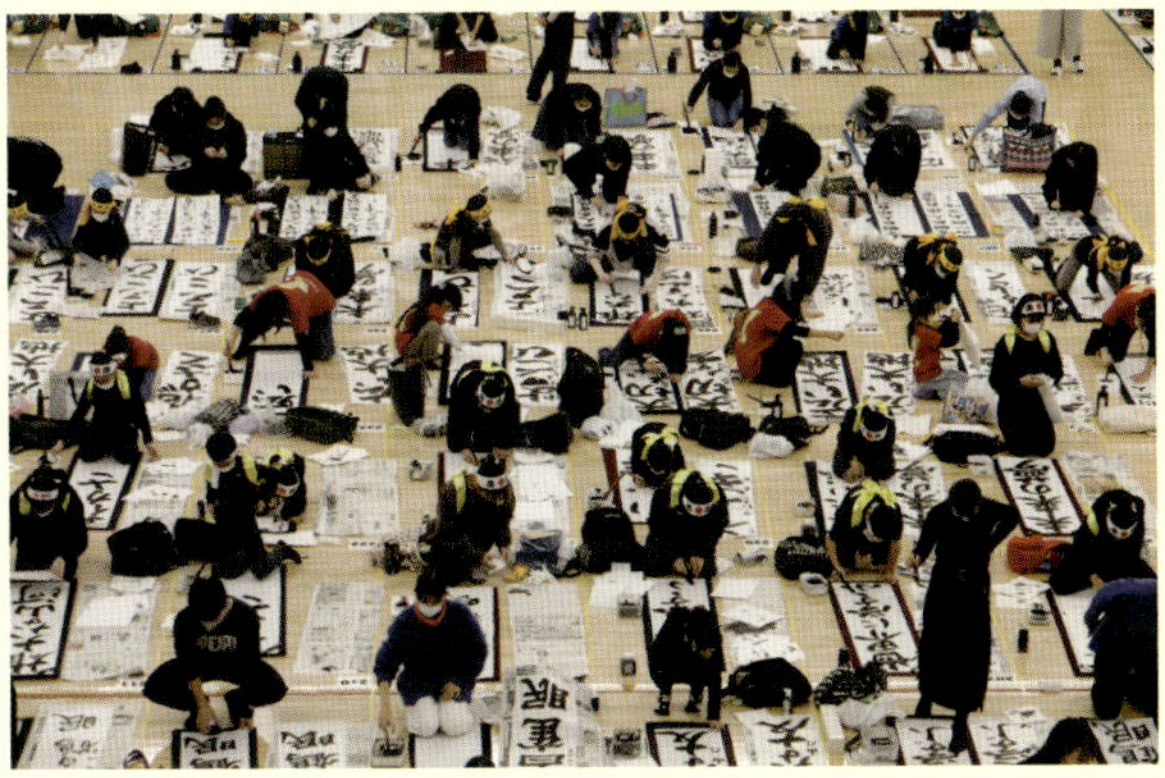

毎年《まいねん》、東京《とうきょう》の日本武道館《にっぽんぶどうかん》で行《おこな》われる書《か》き初《ぞ》めの様子《ようす》。各地《かくち》から集《あつ》まったたくさんの人《ひと》が一斉《いっせい》に筆《ふで》をふるう。　写真：ロイター／アフロ

大勢《おおぜい》の前《まえ》で文字《もじ》を書《か》く席上揮毫《せきじょうきごう》

たくさんの人《ひと》が見《み》ているところで書《しょ》を書《か》くことを、席上揮毫《せきじょうきごう》といいます。書家《しょか》などが書《しょ》をつくりあげる様子《ようす》を見《み》せるもので、全国各地《ぜんこくかくち》で席上揮毫会《せきじょうきごうかい》が行《おこな》われています。

大《おお》きな筆《ふで》で大胆《だいたん》に文字《もじ》を書《か》くパフォーマンスも書道《しょどう》のひとつ。

写真：毎日新聞社／アフロ

ミニ情報

新年《しんねん》に初《はじ》めて筆《ふで》で文字《もじ》を書《か》く行事《ぎょうじ》である書《か》き初《ぞ》めは、平安時代《へいあんじだい》に宮中《きゅうちゅう》で行《おこな》われていた行事《ぎょうじ》をもとに、江戸時代《えどじだい》に庶民《しょみん》にも広《ひろ》まった。現在《げんざい》は、1月《がつ》2日《か》に行《おこな》うことが多《おお》い。

香道《こうどう》

茶道《さどう》などと並《なら》ぶ日本《にっぽん》の伝統文化《でんとうぶんか》のひとつに香道《こうどう》があります。

いつごろから行《おこな》われていたものなのかな？

どんな香《かお》りがするんだろう？

香道《こうどう》の歴史《れきし》は？

主《おも》に東南《とうなん》アジアでとれる香木《こうぼく》（よい香《かお》りのする木《き》や樹脂《じゅし》）は、6世紀《せいき》ごろに仏教《ぶっきょう》とともに日本《にっぽん》に伝《つた》わっていました。平安時代《へいあんじだい》には、貴族《きぞく》たちが衣服《いふく》に香《かお》り（香《こう》）をつける風習《ふうしゅう》があり、香木《こうぼく》を組《く》み合《あ》わせて優劣《ゆうれつ》を競《きそ》う薫物合《たきものあわせ》が行《おこな》われました。

室町時代《むろまちじだい》に、武士《ぶし》の間《あいだ》で香《こう》が好《この》まれ、作法《さほう》や決《き》まりができて香道《こうどう》が確立《かくりつ》され、その後《ご》いくつもの流派《りゅうは》ができました。

香道《こうどう》の流派《りゅうは》のひとつ、志野流《しのりゅう》の基礎《きそ》を築《きず》いた志野宗信《しのそうしん》（1443?～1522年《ねん》）。香《こう》を好《この》んだ室町幕府《むろまちばくふ》八代将軍《はちだいしょうぐん》足利義政《あしかがよしまさ》に仕《つか》えた。

香道《こうどう》で使《つか》う香木《こうぼく》

香道《こうどう》では、沈香《じんこう》と白檀《びゃくだん》という香木《こうぼく》が使《つか》われます。この2種類《しゅるい》はさらに細《こま》かく6種類《しゅるい》に分《わ》けられ、あわせて六国《りっこく》とよばれます。

六国《りっこく》の中《なか》で最高《さいこう》とされるのが沈香《じんこう》の一種《いっしゅ》の伽羅《きゃら》という香木《こうぼく》です。

香木《こうぼく》のひとつ、沈香《じんこう》。東南《とうなん》アジアのアクイラリアなどの木《き》の樹脂《じゅし》。水《みず》に入《い》れるとしずむ。 ©PIXTA

©PIXTA

香木《こうぼく》のひとつ、白檀《びゃくだん》。インドのビャクダン科《か》の木《き》がもとになっている。

香道《こうどう》ってなに？

香木《こうぼく》をたいてその香《かお》りを鑑賞《かんしょう》したり、香《かお》りの種類《しゅるい》をあてる競技《きょうぎ》をしたりします。香道《こうどう》では、香木《こうぼく》のにおいをかぐことを「香《こう》を聞《き》く」といいます。

写真：毎日新聞社 / アフロ

おこした炭団《たどん》を聞香炉《ききごうろ》に入《い》れ、灰《はい》でうめる。灰《はい》にきれいに筋《すじ》をつけ、中央《ちゅうおう》に穴《あな》を開《あ》ける。穴《あな》の上《うえ》に置《お》いた雲母《うんも》の板《いた》（銀葉《ぎんよう》）に香木《こうぼく》をのせると、あたためられて、よい香《かお》りがする。

ミニ情報

奈良《なら》・東大寺《とうだいじ》の正倉院《しょうそういん》に「蘭奢待《らんじゃたい》」という有名《ゆうめい》な香木《こうぼく》が収《おさ》められている。奈良時代《ならじだい》に中国《ちゅうごく》から日本《にっぽん》に伝《つた》わったもので、足利義満《あしかがよしみつ》、織田信長《おだのぶなが》、徳川家康《とくがわいえやす》らが天皇《てんのう》の許《ゆる》しを得《え》て少《すこ》しずつ切《き》り取《と》った。

香《かお》りのちがいを聞《き》き分《わ》けてあてる遊《あそ》び、組香《くみこう》

何種類《なんしゅるい》かの香《こう》を組《く》み合《あ》わせたものを聞《き》いて、そのちがいを聞《き》き分《わ》けてあてる遊《あそ》びを組《く》香《こう》といいます。組香《くみこう》には『源《げん》氏《じ》物語《ものがたり》』を題材《だいざい》にした「源《げん》氏《じ》香《こう》」や七夕《たなばた》を題材《だいざい》にした「七夕《たなばた》香《こう》」など、さまざまな遊《あそ》び方《かた》があります。組香《くみこう》を楽《たの》しむ場《ば》を、香席《こうせき》といいます。

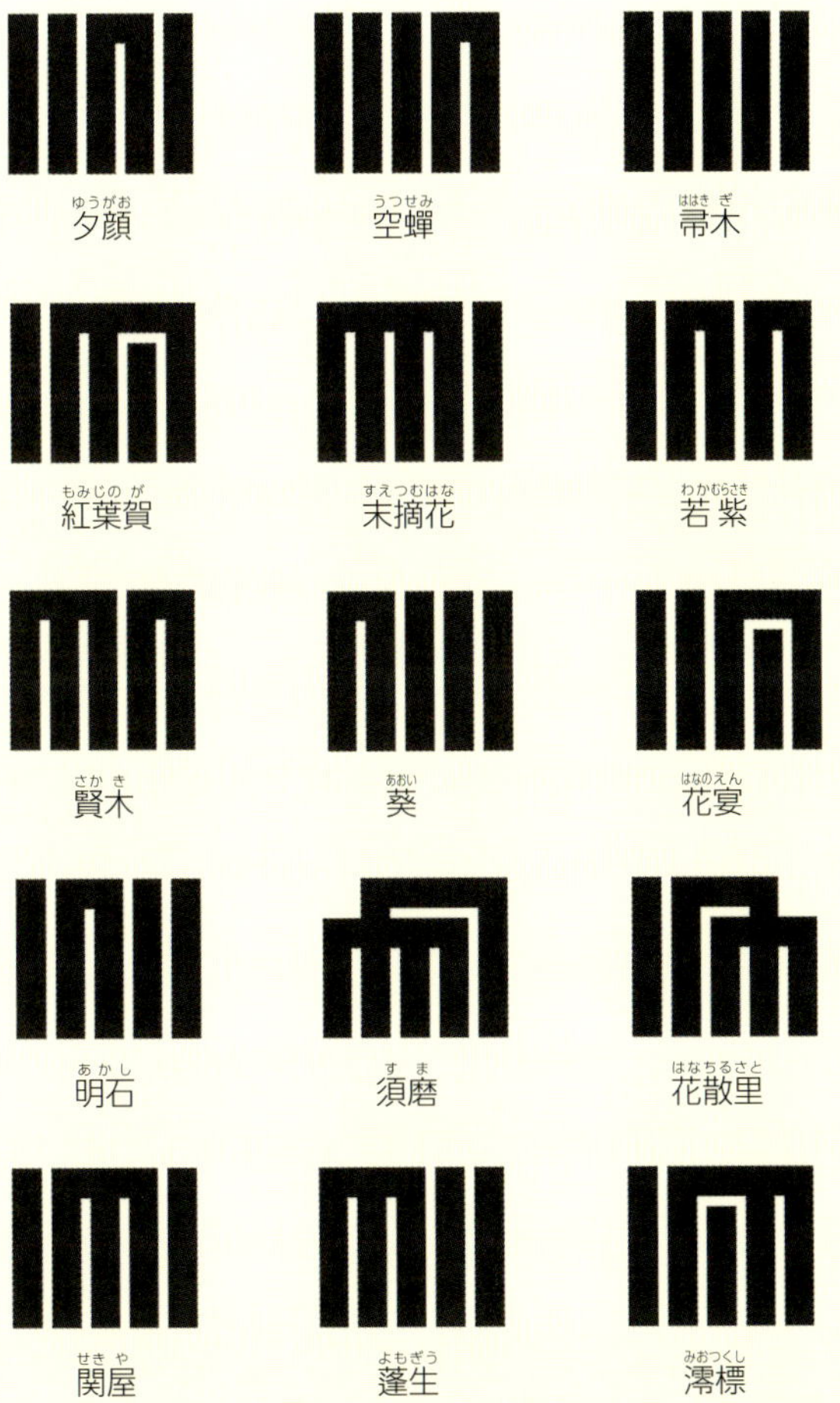

源氏香《げんじこう》で使《つか》う図《ず》(一部《いちぶ》)。縦線《たてせん》が5つの香《こう》を表《あらわ》し、同《おな》じ香《かお》りのものを横線《よこせん》で結《むす》ぶ。参加者《さんかしゃ》は、出題《しゅつだい》される5つの香《こう》を聞《き》き、同《おな》じ香《かお》りの香《こう》を横線《よこせん》で結《むす》んだ図《ず》をかいて答《こた》える。

©PIXTA

香《こう》を聞《き》く様子《ようす》。左手《ひだりて》に聞香炉《ききごうろ》を水平《すいへい》にのせ、右手《みぎて》で軽《かる》くおおう。親指《おやゆび》と人差《ひとさ》し指《ゆび》の間《あいだ》から香《こう》を聞《き》く。 ©PIXTA

香席《こうせき》の様子《ようす》。香《こう》を回《まわ》す香元《こうもと》、最上《さいじょう》の客《きゃく》である正客《しょうきゃく》、その他《た》の参加者《さんかしゃ》の連衆《れんじゅ》、記録《きろく》をまとめる執筆《しっぴつ》などの人《ひと》がいる。

写真：Haruyoshi Yamaguchi/ アフロ

ミニ情報

源氏香《げんじこう》では、5つの香《こう》の組《く》み合《あ》わせに『源氏物語《げんじものがたり》』の各帖《かくじょう》の名前《なまえ》がつけられている。『源氏物語《げんじものがたり》』54帖《じょう》（巻《かん》）のうち、最初《さいしょ》と最後《さいご》の2帖《じょう》を除《のぞ》いた52通《とお》りの香《かお》りの組《く》み合《あ》わせがある。

年表《ねんぴょう》 茶道《さどう》・華道《かどう》・書道《しょどう》

年代《ねんだい》	500	600	700	800	900	1000	1100

時代《じだい》		
飛鳥《あすか》	奈良《なら》	平安《へいあん》

主《おも》なできごと

- 仏教《ぶっきょう》が伝《つた》わる
- 大化《たいか》の改新《かいしん》
- 都《みやこ》が平城京《へいじょうきょう》にうつされる
- 都《みやこ》が平安京《へいあんきょう》にうつされる

茶道《さどう》

- **9世紀《せいき》** 中国《ちゅうごく》から団茶《だんちゃ》が伝《つた》わる。

華道《かどう》

- **6世紀《せいき》～** 仏《ほとけ》に花《はな》を供《そな》える風習《ふうしゅう》が伝《つた》わる。
- **12世紀《せいき》?** 「鳥獣人物戯画《ちょうじゅうじんぶつぎが》」に、仏《ほとけ》に花《はな》を供《そな》える場面《ばめん》がえがかれる。

書道《しょどう》

- **4～5世紀《せいき》** 中国《ちゅうごく》から漢字《かんじ》が伝《つた》わる。
- **6世紀《せいき》** 聖徳太子《しょうとくたいし》（厩戸皇子《うまやどのおうじ》）の「三経義疏《さんぎょうぎしょ》」が書《か》かれる。
- **9世紀初《せいきはじ》め** 三筆《さんぴつ》（空海《くうかい》、嵯峨天皇《さがてんのう》、橘 逸勢《たちばなのはやなり》）が活《かつ》やくする。
- **10～11世紀《せいき》** 三蹟《さんせき》（小野道風《おののみちかぜ》、藤原佐理《ふじわらのすけまさ》、藤原行成《ふじわらのゆきなり》）が活《かつ》やくする。
- **11世紀《せいき》** かな文字《もじ》が広《ひろ》まる。

三筆《さんぴつ》のひとり、空海《くうかい》

ミニ情報
「鳥獣人物戯画《ちょうじゅうじんぶつぎが》」は、平安時代後期《へいあんじだいこうき》にかかれた絵巻《えまき》で、カエルやさる、うさぎなどの動物《どうぶつ》が遊《あそ》ぶ様子《ようす》などがえがかれている。その中《なか》に、仏像《ぶつぞう》に花《はな》が供《そな》えられている場面《ばめん》がある。

1200	1300	1400	1500	1600	1700	1800	1900	2000

鎌倉《かまくら》／南北朝《なんぼくちょう》／室町《むろまち》／戦国《せんごく》／安土《あづち》桃山《ももやま》／江戸《えど》／明治《めいじ》／大正《たいしょう》／昭和《しょうわ》／平成《へいせい》／令和《れいわ》

鎌倉幕府《かまくらばくふ》が開《ひら》かれる

室町幕府《むろまちばくふ》が開《ひら》かれる

応仁《おうにん》の乱《らん》

江戸幕府《えどばくふ》が開《ひら》かれる

ペリー来航《らいこう》

明治維新《めいじいしん》

太平洋戦争《たいへいようせんそう》

13世紀《せいき》 栄西《えいさい》が中国《ちゅうごく》(宋《そう》)から茶《ちゃ》を伝《つた》える。

15世紀《せいき》 村田珠光《むらたじゅこう》が「わび茶《ちゃ》」を始《はじ》める。

16世紀《せいき》 武野紹鷗《たけのじょうおう》が茶道《さどう》を洗練《せんれん》されたものにする。

16世紀後半《せいきこうはん》 千利休《せんのりきゅう》が茶道《さどう》を大成《たいせい》する。

18世紀《せいき》 武士《ぶし》、商人《しょうにん》など、広《ひろ》い層《そう》で行《おこな》われる。

19世紀後半《せいきこうはん》 女性《じょせい》の習《なら》い事《ごと》として広《ひろ》まる。

1462 京都《きょうと》・六角堂《ろっかくどう》で池坊専慶《いけのぼうせんけい》の生《い》けた花《はな》が評判《ひょうばん》になる。

15世紀初《せいきはじ》めごろ 現存最古《げんそんさいこ》の花伝書《かでんしょ》ができる。

1545 「池坊専栄花伝書《いけのぼうせんえいかでんしょ》」ができる。

1594 池坊専好《いけのぼうせんこう》(初代《しょだい》)が前田利家《まえだとしいえ》の屋敷《やしき》で大砂物《おおすなもの》を立《た》てる。

17世紀後半《せいきこうはん》 立花《りっか》が広《ひろ》まる。

18世紀半《せいきなか》ば 生花《しょうか》がさかんになる。

19世紀後半《せいきこうはん》 女学校《じょがっこう》で華道《かどう》が教《おし》えられるようになる。

20世紀半《せいきなか》ば 自由花《じゆうか》が広《ひろ》まる。

12世紀《せいき》 漢字《かんじ》かな交《ま》じりの書《しょ》が書《か》かれる。

17世紀前半《せいきぜんはん》 寛永《かんえい》の三筆《さんぴつ》が活《かつ》やくする。

寛永《かんえい》の三筆《さんぴつ》のひとり、本阿弥光悦《ほんあみこうえつ》の「鶴下絵三十六歌仙和歌巻《つるしたえさんじゅうろっかせんわかかん》」(部分《ぶぶん》)。 京都国立博物館所蔵

18世紀《せいき》 唐様《からよう》の書《しょ》がさかんになる。

ミニ情報 茶道《さどう》、華道《かどう》、書道《しょどう》などの「道《どう》」は、「学問《がくもん》、芸能《げいのう》、武術《ぶじゅつ》、技術《ぎじゅつ》などの専門《せんもん》の分野《ぶんや》」という意味《いみ》があり、人間《にんげん》としての修行《しゅぎょう》を目的《もくてき》として行《おこな》うものという意味合《いみあ》いもふくんでいる。

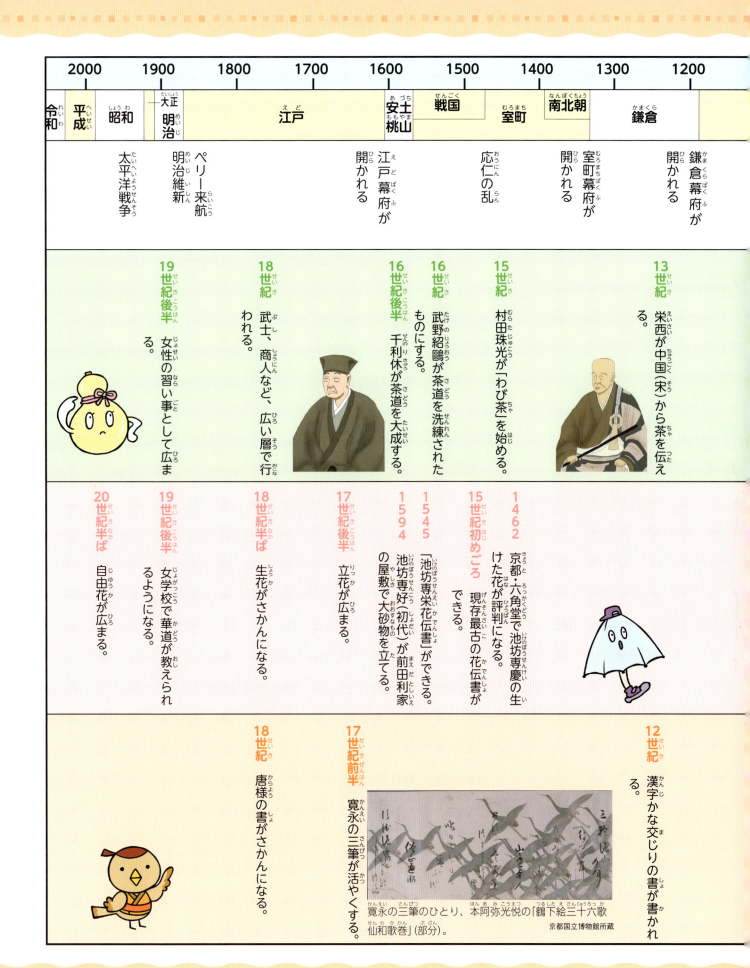

あ行

見出し	ページ
家元	15
池大雅	41
池坊	22
「池坊専栄花伝書」	29、47
池坊専応	21、29
「池坊専応口伝」	21
池坊専慶	28、47
池坊専好（初代）	29、47
一翁宗守	7
「伊都内親王願文」	38
薄茶	6、12
厩戸皇子	28、40、46
裏千家	7、15
栄西	14、47
永字八法	42
王羲之	39
岡倉天心	15
お点前	6
小野道風	39、40、46
小原流	22
主菓子	7、17
表千家	7、15
織部焼	15
「恩命帖」	39

か行

見出し	ページ
懐紙	9、13、17
楷書	37
「花王以来の花伝書」	29
花器	24
書き初め	43
菓子切	13、17
花伝書	29、47
かな文字	40、46
釜	13
紙	35
寛永の三筆	41、47
聞香炉	44、45
『喫茶養生記』	14
伽羅	44
行書	37
空海	38、46
組香	45
剣山	25、31
源氏香	45
建水	13

さ行

見出し	ページ
濃茶	6、12
甲骨文字	36
「光定戒牒」	38
江岑宗左	7
香席	45
高台	12
香道	44
香木	44
近衛信尹	41
小堀遠州	15
古流	22
ころ	12
嵯峨御流	22
嵯峨天皇	38、46
「三経義疏」	40、46
三蹟	39、40、46
三千家	7、15
三筆	38、40、46
志野宗信	44
持明院流	41
自由花	23、29、47
書院造	20、28
生花	22、29、47
正月	26
松花堂昭乗	41
聖徳太子	28、40、46
青蓮院流	41
所作	16、17
書体	36
白洲正子	31
真・行・草	16
沈香	44
真・副・体	23
すずり	35
すみ	35
正座	16
席上揮毫	43
世尊寺流	41
仙厓義梵	43
扇子	7、13
仙叟宗室	7
千少庵	7
千宗旦	7、15
千利休	7、10、14、15、47
草月流	22
草書	36
空飛ぶ泥舟	11

た行

見出し	ページ
大名茶	15
薫物合	44
武野紹鷗	14、47
橘逸勢	38、46
七夕	45
七夕香	45
端午の節句	27
団茶	14、46
「智証大師諡号勅書」	40
茶会	7、8、13
茶室	8、9、10、11
茶しゃく	12
茶せん	12
『茶の本』	15
茶の湯	14
茶碗	12
中秋	27
「鳥獣人物戯画」	46
頂法寺	28
つくばい	8
付藻茄子	14
「鶴下絵三十六歌仙和歌巻」	41、47
つる手	25
亭主	8、9
篆書	36
「唐詩五言絶句」	41
床の間	8、9、10、20、28

な行

見出し	ページ
中村不折	41
投げ入れ花	29
なつめ	12
なり	12
にかわ	35
にじり口	8、10
年中行事	26、43
のこぎり	25
野点	11

は行

見出し	ページ
「白氏詩巻」	39
花留	31
花留め	25、31
『花日記』	31
花ばさみ	25、31
半紙	35
干菓子	7
ひしゃく	13
白檀	44
「屏風土代」	39

た行(続き)

見出し	ページ
「風信帖」	38
深水	30
ふくさ	7、13
武家茶道	15
藤森照信	11
藤原佐理	39、46
藤原行成	39、46
ふた置き	13
筆	34
古田織部	15
風炉	13
文房四宝	34、35
法性寺流	41
本阿弥光悦	41、47

ま行

見出し	ページ
松平治郷	15
抹茶	6
松本茄子	14
『万葉集』	20
未生流	22
水揚げ	30
水切り	30
水さし	25
水指	13
武者小路千家	7、15
無常庵	11
村田珠光	14、47
盛花	29

や行

見出し	ページ
山田宗徧	15
ようす	12
曜変天目茶碗	13

ら行

見出し	ページ
蘭奢待	44
「蘭亭序」	39
立花	22、29、47
龍生派	22
流派	7、22
良寛	43
礼	16
隷書	36
炉	13
露地	8、10
六角堂	28、47

わ行

見出し	ページ

参考文献

稲田和浩・著『日本文化論序説』彩流社
PHP 研究所・編『日本文化の基礎がわかる　茶道・華道・書道の絵事典　初歩から学ぶ』PHP 研究所
日本文化いろは事典プロジェクトスタッフ・著『日本の伝統文化・芸能事典』汐文社
北見宗幸・著『北見宗幸　DVD 茶道教室』山と溪谷社
北見宗幸・著『裏千家　茶道ハンドブック』山と溪谷社
北見宗幸・監修『はじめての茶の湯』成美堂出版
千宗左・著『決定版　はじめての茶の湯』主婦の友社
田中仙融・著『イチから知りたい日本のすごい伝統文化　絵で見て楽しい！　はじめての茶道』すばる舎
秋山滋・文『はじめての茶道①～③』汐文社
小学生〝和〟のおけいこ編集室・著『日本伝統文化のおけいこ　小学生のための「茶道」「華道」』メイツ出版
池坊専永監修、日本華道社・編『はじめての池坊いけばな入門』講談社
細川武稔・著『１日５分いけばなの歴史』淡交社
竹中麗湖・著『人気花、定番花で品よく、おしゃれにはじめる　やさしい、いけばなの基本』世界文化社
田中亮・著『もっと知りたい日本の書』東京美術
三條西堯水・監修『よくわかる香道　歴史から作法まで　香りの世界を深める』メイツ出版
ほか

監修　文京学院大学外国語学部非常勤講師　稲田和浩（日本文化論、芸術学）
編集協力　有限会社大悠社
表紙写真　PIXTA
表紙デザイン　株式会社キガミッツ
本文デザイン　中トミデザイン
イラスト　森永みぐ、渡辺潔

協力（敬称略）　茶道文化振興会　北見宗幸
見敬寺文化教室講師　塚田宗穂

いっしょに探検！　日本の伝統文化と芸術（全《ぜん》４巻《かん》）

❶茶道・華道・書道を探検！

2025年2月　初版発行
発　行　者　岩本邦宏
発　行　所　株式会社教育画劇
〒151-0051 東京都渋谷区千駄ヶ谷5-17-15
TEL：03-3341-3400
FAX：03-3341-8365
https://www.kyouikugageki.co.jp
印　　刷　株式会社あかね印刷工芸社
製　　本　大村製本株式会社

48P NDC790 ISBN978-4-7746-2347-4
（全4冊セット ISBN978-4-7746-3327-5）

Published by Kyouikugageki, inc., Printed in Japan